建安虞氏新刊
至治新刊
新全相三國志平話

건안우씨(建安虞氏) 신간(新刊)
지치(至治, 1321~1323) 신간(新刊)
전상(全相) 삼국지평화(三國志平話)

머리말

많은 이들이 삼국지라는 소설을 접할 때, 원나라 말, 명나라 초의 나관중(羅貫中)이 쓴 삼국지연의(三國志演義)를 가장 먼저 접한다. 삼국지에 대해 관심이 조금 있는 이들은, 삼국지연의가 이전에 있던 역사서인 촉한, 서진(西晉)의 역사가인 진수(陳壽)가 집필한 속칭 정사 삼국지에 여러 설화들을 엮어 집필한 것이라 알고 있다. 그런데, 그 수많은 설화들은 어디서 유래했을까? 라는 의문을 가지던 중, 그 이전에 완성된 삼국지인 삼국지평화가 존재한다는 것을 알고 이에 대해 찾아보게 되었다. 삼국지평화는 '삼국지'라는 명칭을 가진 최초의 소설이고, 삼국지연의의 각종 에피소드에 상당한 영향을 미쳤다. 실제로 정사 삼국지에는 등장하지 않는 삼국지연의에 등장하는 수많은 이야기들이 삼국지평화를 통해 전해졌다는 걸 알 수 있다.

원나라 초, 건안 우씨(建安虞氏)에 의해 발행된 소설 모음집인 전상평화(全相平話)에 포함된 다섯 편의 소설 중 하나로 이야기 순서상 다섯 번째 이야기이다. 전상평화는 무왕 벌주서(武王伐紂書), 악의 도제칠국 춘추후집(樂毅圖齊七國春秋後集), 진병육국평화(秦併六國平話), 전한서속집(前漢書續集), 삼국지평화(三國志平話), 다섯 권의 소설로 구성되어있다. 전상평화(全相平話)의 뜻은 모든 페이지에

그림이 삽입된(全相), 대화체의 소설(平話)이라는 뜻으로, 위쪽에는 그림, 아래쪽에는 글 형태로 구성되어 있다. 일본 국립 공문서관 디지털아카이브(國立公文書館デジタル・アーカイブ) 홈페이지를 통해, 전상평화 다섯 권 전문을 스캔본으로 열람 가능하다.

역자는 일본 국립 공문서관 디지털아카이브 스캔본을 번역하였으며, 스캔본에 포함된 그림들 역시 각 페이지의 위쪽에 삽입하였다. 그림들은 해당 장면을 묘사한 그림들인데, 왼쪽과 오른쪽 페이지가 연결되는 그림이 많아, 그에 맞게 구성했다. 삼국지평화는 권상, 권중, 권하로 구성되어 있는데, 원문에는 책이 나눠지지 않고, 내용 간에 크게 구분된는 것은 아니지만, 원문에 대한 고증과 가독성을 위해 원문과 같이 나누어 두었다.

삼국지평화의 문체는 다소 조잡하게 구성된 부분이 많다. 인물에 대한 지칭이 난잡한 편인데, 인물에 대한 명칭을 여러 가지로 칭할 수는 있지만, 황제가 되지도 않은 유비를 선주라 부르고, 일관성 없는 지칭을 사용하는 경우가 많다. 또, 사용된 문장이 바로 뒤에 반복된다거나, 맥락과는 상관없는 문장이 뜬금없이 존재하기도 한다. 그러나 이런 표현들 역시 원문에 대한 고증을 지키기 위해 그대로 번역해 두었다.

삼국지평화 권상
三國志平話卷上

강동(江東)은 오나라의 흙, 촉(蜀)은 땅과 하천(地川), 조조(曹操)는 영특하고 용감하게(英勇) 중원(中原)을 점령했다.(占) 이는 세 사람이 천하를 나눈 것이 아니라, (한)고조(高祖)가 원수(冤)의 머리를 베려 온 것이다.

옛날 남양군(南陽) 등주현(鄧州) 백수촌(白水村)의 유수(劉秀)는 자가 문숙(文叔)이었는데, 광무황제(光武皇帝)라는 이름으로 황제에 올랐다. 광(光)이라는 글자는 해와 달이 빛나고 하늘 아래를 밝게 비춘다는 말이고, 무(武)라는 글자는 천하를 얻는다는 말이다. 이에 그 이름을 광무(光武)라 했다. 그리고는 낙양(洛陽)으로 도읍을 세우고, 제위에 올라 5년이 되었다.

그러던 어느 날(當日) 수레를 타고 한가로이 정원(園)으로 갔다. 정원 안으로 가자 꽃과 나무가 기이해(奇異) 보기에 부족했다. 어가(駕, 황제)가 대신들에게 물었다.

"이런 꽃밭들은 왕망(王莽)이 손질해서 어그러진 것인

가?”

가까운 신하가 아뢰었다.

“왕망의 일과는 상관없고, 백성들(黎民)을 핍박하고 땅을 사들이고 나무를 심어, 동쪽의 도읍인 낙양의 백성들을 어그러뜨리고 죽여서 그런 것입니다.”

광무제(光武)가 말했다.

“급히 짐의 뜻(聖旨)을 전하도록 하라. 내일은 3월 3일 청명절(淸明節)이니, 임시로 황제의 조서(黃榜)를 내어, 과인(寡人)이 백성들(黎民)과 함께 한 곳에서 꽃을 감상할 것이다.”

다음 날이 되어 백성들이 정원 안으로 와서 꽃을 보며 각각 정자(亭館)에 있었다.

그때 서생(書生) 한 명이 홀연히 있었는데, 흰 옷에 허리띠, 모자, 검은 신발을 신고 있었다. 왼손에는 술 한 병을 들고, 오른 손에는 사발 하나(副)을 가지고 있었으며, 등 뒤에는 거문고와 검, 책가방을 메고 있었는데, 정원 안으로 와서 노닐었다. 그는 늦게 왔기에 있을 곳이 별로 없어 앉아 있을 만한 정자가 없었다.

이 서생(秀才)는 앞으로 몇 십 걸음 가서 측백나무(柏)를 병풍으로 두고, 푸른 수풀을 깔개 삼아 그 위에서 술병(酒壺)과 사발(瓦鉢)을 내려두고 거문고, 검, 책가방을 풀어두었다.

서생(秀才)은 자리 잡고 앉아(坐定) 술병을 기울여 사발 안에 따르고 한 번에 다 마셨는데, 잇달아 세 사발을 마시고는 몸을 비틀고 피하며 반쯤 취했다.

한 잔의 대나무 잎이 심장을 뚫고 지나가고, 두 송이 복숭아 꽃이 뺨 위로 오는구나. 이 서생(秀才)의 성은 무엇이고 이름은 무엇인가? (성은) 두 글자 성(複姓)으로 사마(司馬)이고, 자(字)는 중상(仲相)이다.

그는 앉아있는 걸 답답해하며, 거문고를 한 곡조 타다가 책가방을 열어 책 한 권을 꺼내 펼쳐 보았는데, 거기에는 망했던 진나라(秦)가 남쪽의 다섯 산맥을 수리하고, 북쪽에 (만리)장성(長城)을 쌓고, 동쪽에 큰 바다를 메우고, 서쪽에 하방(訶房)을 세우고, 유생과 서적들을 불태운 일(坑儒焚書)이 적혀 있었다. 중상(仲相)은 이를 보고 크게 화내는

걸 참지 못하고 화내며 말했다.(毁罵)

"진시황제(始皇)는 무도한(無道) 군주구나!

만약 나 중상(仲相)이 군주라면 어찌 천하의 백성들(黎民)을 즐겁게 하지(快樂) 않겠는가!"

그리고는 말했다.

"진시황제(始皇)는 사람들(人民)을 10명 중에 8~9명을 죽였는데, 또 이들을 장사지낼 곳이 없고 하늘과 땅을 더럽혔구나. 하느님(天公)께서는 이를 보지 못하시고 물리치지 않으시고 진시황제(始皇)를 군주로 세웠는가!

지금 남쪽 바깥에 낭아(琅琊)에는 반란을 일으킨 항적(項籍, 항우)이 있고, 북쪽의 서주(徐州) 풍패(豐沛)에서 유씨(劉) 세 명이 의병을 일으켰다. 천하에서는 칼을 가진 병사(刀兵)들이 갑자기 일어나고 군대에서는 갑옷(帶甲)을 받아 고생하고(勞) 백성들은 도탄(塗炭)에 빠져 힘들겠구나!"

서생은 그리고는 길에서 나와 풀 섶 옆으로 가고는, 땅을 피해 지나갔는데, 그 곳에는 비단옷과 꽃모자를 쓴 50여명이 있었다. 그들은 두 줄로 서 있었고 8명은 자주색 도포와 금색 띠, 상아 홀(象簡)과 검은 신발을 신었는데, 관직(官)의 높고 낮은 것은 알 수 없었고 자주색 금빛 주머니를 매달고 있었다.

"옥황상제(玉皇)의 교서를 받들어 폐하께 여섯 가지 큰

예(大禮)를 드리니 받으시옵소서."

그리고는 한 사람이 황금 봉황 그릇 안에 여섯 가지 물건을 두었는데, 그것들은 평천관(平天冠), 곤룡복(袞龍服), 무우리(無憂履), 백옥규(白玉圭), 옥속대(玉束帶), 서검(誓劍)이었다.

중상은 말을 듣고는 모두 다 받았다. 즉시 이를 마치고는, 자리 잡고 앉아 백옥규(白玉圭, 백옥으로 만든 홀)를 잡았다. 여덟 명이 아뢰었다.

"이런 곳은 앉아있을 만한 곳이 아닙니다."

그리고는 50명의 꽃모자를 쓴 사람들이 가서 땅을 피해 용봉 가마(龍鳳)를 메고 가마꾼이 가서 앞에 가서 가마를 내리고는 말했다.

"폐하께 가마에 오르시길 청하옵니다."

중상은 황제의 저포를 걸치고(黃袍) 여유롭게 일어나 가

마에 바르게 올라앉았다. 여덟 명이 둘로 나뉘어 앞에서 이끌고 뒤의 50명의 꽃모자를 쓴 이들이 이를 둘러쌌다. 그리고는 유리전(琉璃殿)으로 나아갔는데, 한번 자리(座)에서 말했다.

"청하오니 저희 왕께서는 가마에서 내리시옵소서."

궁전(殿)에 오르니 아홉 마리 용이 새겨진 금 의자(九龍金椅)가 보였다. 중상이 의자 위에 단정히 앉자 (신하들이) 두손을 모아 만세를 하고(山呼萬歲)나서 여덟 명이 아뢰었다.

"폐하께오서는 왕망(王莽)의 죄를 아시는지요. (그는) 약주(藥酒)로 평제(平帝)를 독살하고, 자영(子嬰)을 베어 죽이고, 황후를 해치고, 그 궁실을 정리해버리고, 궁실의 여자들을 죽였는데, 이러한 일들을 아시는지요. 이러한 죄를 짓고는, 이후에 새롭게 궁실을 지어 황제(皇帝)가 되어 거군(巨君)이라 했습니다.

그로부터 18년 뒤에 남양 등주 백수촌의 유수가 의병을 일으켜 왕망을 격파하고 이후에 천하를 빼앗아, 왕망을 묶어 폐위시켜 (지금은) 감옥(交舍院) 안에서 볼 수 있습니다.

광무황제께서 즉위하셔서 재상(宰相)들은 28수(二十八宿)와 사두후(四斗侯)를 겸하고 장수들이 돕고 있습니다. 광무황제(光武)는 궁궐(紫微)의 큰 황제이시니, 하늘에는 두 태양이 없고, 백성들에게는 두 주인이 없습니다.

저희 왕께서는 이곳(這裏)에서 편지(牒)를 받으셔서 병사도 없고, 장수도 없고, 또한 지략과 모책(智謀)도 없으며, 또한 닭을 잡을만한(縛雞) 힘도 없습니다. 광무제가 이를 알면 그 병사와 장수를 이끌고 와 원수가 될 것인데, 어찌(怎生) 쉴 수 있겠습니까!"

중상이 말했다.

"경들은 과인(寡人)더러 어떻게 하라는 것이오?"

여덟 명이 아뢰었다.

"폐하께오서 아홉 마리 용이 새겨진 의자(九龍椅) 아래로 와 보셔서 우리 왕의 처마 밑을 올려다보시면, 결국 이곳이 장조전(長朝殿)이 아닌 것을 아실 것입니다."

중상이 머리를 들어 붉은색으로 칠한 팻말을 올려보니 글이 써져 있었는데, '파기래대(簸箕來大)'라는 네 글자가 금으로 쓰여 있었다.

"궁궐의 원통함을 갚는다.(報冤之殿)"

중상은 머리를 숙이고 반 나절 간 생각해 보았지만, 결국 그 뜻을 깨닫지 못했다.

중상이 물었다.

"경 등에게 묻소만, 짐은 그 뜻을 모르겠소."

여덟 명이 아뢰었다.

"폐하, 이 곳은 현세(陽間)[1]가 아니라 음사(陰司)입니다.[2] 방금(適來) 정원 안에서 망한 진나라의 글을 보시고 진시황제(始皇)를 헐뜯으시고(毀罵) 천지의 마음을 원망하셨습니다. 폐하께서는 살아계실 때(上生)에 부처를 따르지 않으시고, 죽으신 뒤에(下生) 부처를 따르셨습니다.

폐하께서는 요순(堯舜), 우왕과 탕왕(禹湯)의 백성들을 보시고 상을 받아야 한다 하시고, 걸왕과 주왕(誅殺)의 백성들을 보시고 주살당해야 한다 하셨습니다. 저희 왕께서는 그 뜻을 알지 못했는데, 무도한 군주는 백성들과 함께 모두 하늘(天公)의 뜻에 따라야 합니다. 진시황제를 헐뜯어 하늘(天公)의 마음을 원망하셨습니다.

하늘은 폐하께 교서를 내리셔서 보원전(報冤殿) 안으로

---

1) 양간(陽間) : 현세, 이 세상, 이승
2) 음사(陰司) : 저 제상. 죄를 짓고 가는 세계, 저승

들여 저희 왕을 음사(陰司)의 군주(君)로 삼으시려 합니다. 저승(陰間)에서 사심을 버리시면(無私) 교서를 내려 당신(你)을 이승(陽間)의 천자(天子)가 되실 것이옵니다. 만약 그렇지 않으면 (직위가) 낮추어져(貶在) 저승의 산(陰山)의 뒤쪽에서(背後) 영원히 사람이 되지 못할 것입니다."

중상이 말했다.

"짐에게 어떤 일을 하게 하려는 것이오?"

여덟 명이 아뢰었다.

"폐하께서 폐하의 뜻(聖旨)을 전하시면, 스스로 소장(告狀)을 드리는 사람이 있을 것입니다."

"경들이 아뢴 대로 하겠소."

황제의 뜻(聖旨)를 전하자 과연 크게 외치는 한 사람이 나타났다.

"소신은 억울하옵니다!"

그는 손에 소송장(詞狀) 하나를 쥐고 있었다.

중상이 이를 보니 그 한 사람은 정수리에 금색 투구를 쓰고, 몸에는 사슬갑옷, 진홍색 도포, 초록빛 신발을 신고 있었는데, 옷깃에는 피가 흐르고 도포 아래쪽이 더럽혀져 있었고, 부르짖으며 원통해하는 것을 멈추지 않았다. 황제(帝)가 그 글을 거두어 책상 위에서 펼쳐 열어 보니 이는 205년 전의 일이었다.

"짐이 어떻게 결정해야 하오?"

그리고는 책상 아래로 넣었다. 소장을 준 사람이 말했다.

"소인은 한신(韓信)이온데, 이전에 억울한 일을 한고조의 손 안에서 당한 회음(淮陰) 사람입니다.

(저는) 삼제왕(三齊王)의 관직을 지내며 열 가지 큰 공로(功勞)를 세우고 겉으로는 잔도를 만드는 척, 몰래 진창(陳倉)으로 건너가 항우(項籍)를 쫓아내 (그가) 오강(烏江)에서 자결시켰습니다.

이렇게 천하에 한나라 조정(漢朝)을 창립하는데, 큰 공을 세웠는데, 고조(高祖)는 전혀 생각하지 않고 바퀴를 밀면서 저를 속여 운몽(雲夢)으로 유인해, 여태후(呂太后)에게 시켜 미앙궁(未央宮)에서 둔검(鈍劍)을 죽였습니다.

신은 원통하고 억울하게 죽었으니, 신의 억울함을 분명히 나타내어 주십시오!"

중상이 놀라서 말했다.

"어떻게 해야 하오?"

여덟 명이 아뢰었다.

"폐하, 이러한 일은 처리하지 않고 피해서 어찌 이승(陽間)에서 천자가 될 수 있겠습니까?"

그 말이 끊기기도 전에 또다시 한 사람이 크게 외치며

청하는 소리가 들렸다.

"소신도 억울합니다!"

그 곳을 보니 한 사람이 있었는데, 머리를 풀어헤치고, 붉은 머리띠를 하고, 몸에는 가는 버드나무 잎 감청색 도포, 녹색 신발을 신고 손에는 문서를 쥐고 원통한 소리를 부르짖고 있었다.

황제가 성과 이름(姓名)을 묻자 말했다.

"성은 팽(彭), 이름은 월(越), 관직은 대량왕(大梁王)을 지냈는데, 한고조(漢高祖)의 수하로 제후(諸侯)가 되어 한신(韓信)과 함께 한나라(漢)를 세웠습니다.

천하가 태평해지자, (고조는) 더 이상 신(臣)을 쓰지 않고, 저같은 장수같은 신하를 속여 몸이 베어져 고기 젓갈(肉醬)이 되어 천하의 제후들의 밥이 되었습니다.

이에 소신은 원통해 억울합니다."

황제가 그 문서를 거두었다. 또한 한 사람이 소리 높여 울부짖으며 문서(文狀)를 가지고 있었다. 황제가 그 사람을 보니 사자 머리 모양 투구, 용비늘 감청색 전포, 녹색 신발을 신고 있었다.

황제가 성과 이름을 묻자, 영포(布)가 말했다.

"신은 한고조(漢高祖)의 신하로 성은 영(英), 이름은 포(布)로, 관직은 구강왕(九江王)에 봉해졌습니다. 신은 한신, 팽월과 함께 셋이서 한나라의 천하를 창립해 12명의 황제, 200여년에 걸쳐서 큰 공을 세웠습니다.

(천하가) 태평해지자(太平) 신을 쓰지 않고, 고조는 꾀를 내어 저희같은 세 사람을 속이고 궁궐 안을 속여 저희의 목숨을 해치고 원통한 죽음으로 내몰았습니다. 폐하께서는 신 등 세 명을 구해주십시오!"

황제가 크게 화내고는 여덟 명에게 물었다.

"한고조는 어디 있소?"

여덟 명이 아뢰었다.

"우리 왕께서는 조서를 내리셔야 합니다."

황제가 말했다.

"경이 아뢴 대로 하시오."

여덟 명이 황제의 뜻(聖旨)을 전해 한고조를 불렀다.

얼마 지나지 않아 그가 섬돌 아래에 와서 땅에 엎드렸다.(俯伏) 황제가 고조에게 물었다.

"세 명이 올린 문서가 모두 같다. 한신, 팽월, 영포는 천하에 한나라 조정을 세웠음에도, 계책을 내어 세 명을 반역죄로 몰아(造反) 그 생명을 해쳤는데, 어찌 도리에 맞다 할 수 있는가?"

고조가 아뢰었다.

"운몽산(雲夢山)에는 만가지, 천가지 경치가 있어, 노닐러 갔었습니다. 여후(呂后)가 나라의 권세를 잡았는데, 세 명에 대해 모두 반역 여부를 몰랐습니다. 바라건데 태후(太后)를 불러주시면 충분히 그 사실을 알 것입니다."

태후를 부르자 궁궐 아래에서 만세(山呼)를 부르고 나서 황제가 태후에게 물었다.

"당신이 나라의 권세를 잡아 계책을 세워 세 명을 반역

죄로 몰고는 공신들을 죽였는데, 그대는 응당 무슨 죄가 있다 하겠소?"

태후가 고조를 보며 말했다.

"폐하, 당신은 군주로서 산과 하천, 사직(社稷)을 감당하시는데, 자동(子童)이 폐하께 아뢰었습니다.

'오늘은 태평한데, 어찌 즐기지 않으십니까?'

고조는 성스러운 뜻으로(聖旨) 말했습니다.

'경은 내부의 일은 모르시오. 패왕(霸王, 항우)은 입 다물게 하고 꾸짖어, 세 명은 오강(烏江)까지 내몰아 자결하게 했소. 세 사람은 잠자는 호랑이 같아, 만약 깨닫게 되면 과인은 어찌해야겠는가? 과인은 운몽(雲夢)으로 놀러가서 자동(子童)에게 황제의 권한을 주고 세 명을 잡도록 궁궐 아에서 속여 목숨을 해치게 했다.'

지금 폐하께서는 어떻게 이를 승인하지(承認) 않고 첩에게 그 책임을 미루십니까?"

황제가 고조에게 물었다.

"세 사람이 반역하지 않았는데도 그들의 목숨을 빼앗았는데, 어찌 엎드려 빌지 않느냐?"

여후가 아뢰었다.

"폐하, 자동의 말 뿐만 아니라 따로 밝힐 만한 사람도 있습니다."

황제가 말했다.

"따로 밝힌 만한 사람이 누구요?"

"성은 괴(蒯), 이름은 철(撤), 자는 문통(文通)입니다. 폐하께서 불러주시면 명백히 드러낼 것입니다."

괴문철(蒯文通)을 부르자 궁궐 아래에 와서 신하의 예절(臣禮)을 다했다. 황제가 물었다.

"세 사람이 반역 했는지 안했는지 그대가 간해보시오."

문철이 아뢰었다.

"이러한 시(詩)가 있습니다."

그리고는 시를 낭송했다.

"안타깝구나, 회음후(淮陰侯, 한신)여. 고조(高祖)의 근심을 나눌 수 있었건만. 세 진나라(秦)를 돗자리 밀 듯 평정하고(席卷) 연나라(燕), 조나라(趙)를 하나 같이 쉬게 했구나(齊休). 밤에는 모래 주머니(沙囊)를 물에 두고, 낮에는 도적의 신하들의 목을 베었구나. 고조는 올바르게 정하지 못하고, 여후는 제후들을 베어버렸구나."

각각의 사람들의 엎드린 자백을 받고 표문을 작성해 하느님(天公)께 아뢰었다.

하느님(天公)은 즉시 금색 갑옷을 입은 신선을 하늘 부처의 편지(天佛牒)를 가지고 보냈다.

옥황상제(玉皇)가 칙령을 내렸다.

“중상(仲相)의 기록에 따라 한고조는 그 공신들(功巨)[3]을 저버렸으니, 각각 세 명에게 교서를 내려 한나라 조정(漢朝)의 천하를 셋으로 나누도록 한다. 한신(韓信)은 중원을 나누어 조조(曹操)가 되게 하고, 팽월(彭越)은 촉의 처천(蜀川)을 주어 유비(劉備)가 되게 하고, 영포(英布)는 강동(江東), 장사(長沙), 오왕(吳王)을 나누어 손권(孫權)이 되게 하고, 한고조는 허창(許昌)에서 태어나 헌제(獻帝)가 되게 하고, 여후(呂后)는 복황후(伏皇后)가 되게 한다.

조조(曹操)에게는 하늘의 때(天時)를 얻게 하고 헌제(獻帝)를 가두고 복황후(伏皇后)를 죽여 앙갚음하게 한다.(報仇) 강동(江東)의 손권(孫權)에게는 지리적 이점(地利)을 얻게 해 열 개의 산, 아홉 개의 강을 가지게 한다. 촉의 하천(蜀川)의 유비(劉備)에게는 인심의 화합(人和)을 얻게 한다.

유비는 새끼를 꼬아 관우(關), 장비(張)의 용맹을 얻게

---

3) 공거(功巨)라 기록되어 있지만 공신(功臣)의 오기로 보인다.

하지만, 모략(謀略)이 있는 사람을 얻지 못하니, 괴통(蒯通)이 제주(濟州) 낭아군(琅玡郡)에서 태어나게 한다. 두 글자 성(複姓)으로 제갈(諸葛), 이름은 량(亮), 자는 공명(孔明)이라 하도록 하고, 도호(道號)[4]는 와룡선생(臥龍先生)이 되도록 한다. 그를 남양(南陽) 등주(鄧州) 와룡강(臥龍岡) 위에서 암자(庵)를 제워 살게 하는데, 이 곳에서 군주와 신하(君臣)가 모이는 곳이 되게 한다.

중상(仲相)은 이승(陽間)에 태어나게 하는데, 두글자 성(複姓)으로 사마(司馬), 자는 중달(仲達)로 세 나라를 모두 거두게 해 천하의 홀로 제패하도록 한다.(獨霸)"

하늘(天公)이 결단을 마쳤다.(斷畢)

이야기를 나누어 보면, 지금은 한영제(漢靈帝)가 즉위한 해였는데, 동과 철(銅鐵)이 모두 울렸다. 황제(駕)가 대신들에게 물었다.

"예로부터 이와 같은 일들이 있었는가?"

재상(宰相) 황보숭(皇甫嵩)이 나와서 아뢰었다.

"반고(盤古) 이래로 지금까지 이러한 이른 두 번 있었습니다. 옛날 춘추시대(春秋)에 제왕(齊王)이 천자에 즉위했을 때, 동과 철(銅鐵)이 모두 3일 밤낮(三晝夜)으로 울렸습니다. 제왕이 대신들에게 물었습니다.

4) 도호(道號) : 승려 등에게 불교식으로 짓는 추가적인 이름.

'동과 철이 울리는 것은 길흉(吉凶)이 어떠하오?'

세 번이나 물었지만 대신들은 어떠한 말도 하지 못했습니다.

제왕이 크게 화내며 상대부(上大夫) 염경(冉卿)을 불렀습니다.

'그대(你)는 상대부이면서 어찌 이러한 일을 풀지 못하시오? 경에게 3일의 기한을 주겠으니 길한 지 흉한 지 알아내시오!'

제왕은 3일간 조정(朝)에 나아가지 않았습니다. 염경은 집에 돌아와서(歸宅) 답답해 하며(悶悶) 기뻐할 수 없었습니다. 문관선생(門館先生)은 염경 대부의 얼굴에 근심이 가득한 것을 보고 염경대부에게 물어보자 왜 즐겁지 않은 지 물었다. 염대부(冉大夫)가 말했습니다.

'선생은 알지 못하오. 지금 천자께서 동과 철이 함께 울려서 이에 대해 군왕(君王)께서 내게 어떤 길흉의 조짐인지 물으셨으나 나는 전혀 모르겠소. 지금 제왕께서는 내게 3일의 기한을 주셨으나, 이를 해결하지 못하면 죄를 물으실 것이오.'

(문관)선생이 말했습니다.

'이 일은 작은 일 아닙니까.'

대부가 말했습니다.

'선생이 이를 아시면 관청에서 큰 상이 있을 텐데, 이 일의 길흉에 대해 알려주시겠소?'

선생이 말했습니다.

'이는 길흉을 의미하는 게 아니라 단지 산이 무너질 징조입니다.'

'어찌 그리 보셨소?'

선생이 말했습니다.

'동과 철(銅鐵)이란 산의 자손(子孫)이고, 산(山)이란 동과 철(鋼鐵)[5]의 할아버지입니다.'

염대부가 그 뜻을 얻고는 즉시 조정에 들어와 제왕에게 아뢰었습니다. 제왕이 조정을 열자 염대부가 나와 아뢰었습니다.

'동과 철이 모두 울리는 것은 길흉의 징조가 아닙니다.'

왕이 왜 그런 것인지 묻자 (염대부가) 아뢰었습니다.

'(이는) 산이 무너지는 것입니다.'

황제가 물었습니다.

'경이 어찌 아시오?'

---

5) 강철(鋼鐵)이라 기록되어 있지만, 동과 철(銅鐵)의 오기로 보인다.

(염대부가) 아뢰었습니다.

'동과 철이란 산의 자손이고, 산이란 동과 철의 할아버지입니다.

이 때문에 길흉에 대한 게 아닌 것입니다.'

제왕은 크게 기뻐하며 염경의 관직을 더하고 자자손손(子子孫孫) (관직을) 끊지 않았습니다. 아뢰는 것이 끝나고 불과 며칠 뒤에 화산(華山)의 한 봉우리가 무너졌습니다. 폐하께서는 이 일을 보시면 길하지도, 흉하지도 않은 것을 알 것입니다."

말을 마치자 윤주(鄆州)에서 표문(表章)이 도착했는데, 태산(太山) 자락의 아래가 무너져 땅에 구멍이 생겨 대략 수레 바퀴 크기였는데, 그 깊이를 알 수 없다는 것이었다. 이에 사신을 보내 그 길흉을 찾아보라 명했다.

이야기를 나누어 보면, 그 꺼진 땅 구멍 근처에 산장(山莊) 하나가 있었는데, 바로 손태공(孫太公)의 산장(莊)이었다.

손태공은 아들 둘을 낳아 큰 아들은 농사를 시키고, 작은 아들은 글을 읽게 했기에(讀書) 손학구(孫學究)라 불렀다. 그러나 (손학구)는 나병에 걸려(癩疾) 머리카락이 모두 빠지고 온 몸에 피고름이 생기는 게 그치지 않아 그 냄새가 부모에게까지 미쳤다. 이에 산장 뒤 110보 뒤에 초가집 암자(茅庵)를 지어 혼자 살게 하고, 아내(妻子)가 매일 밥상을 보냈다.

어느날 새벽(早辰)에 아내가 밥상을 보냈는데, 그 때는 봄 3월 중으로 암자 문에 도착해 학구(學究)가 질병에 걸린 것을 보고 차마 볼 수 없어, 손으로 입과 코를 가리고 몸을 학구와 비스듬히 하고 밥 먹이는 것을 머뭇거렸다.

학구가 탄식하며 말했다.

“아내와는 같은 시간, 같은 방에 살고 죽은 뒤에는 같은 관(槨)에 묻힌다는데, 아내와 아이(妻兒)가 살아서도 스스로 나를 혐오하는데, 어찌 이를 사람 사는 것이라 하겠소? 내가 하루 더 살아봤자 무엇 하겠소?”

말을 마치자 아내는 떠났다. 학구는 스스로 생각했다.

‘차라리 죽을 곳을 찾는 것만 못하겠구나.’

그리고는 항상 짚고 다니던 병자용 지팡이(病拐)를 들고 다리를 절고 피고름(膿血)이 묻은 신을 신고 암자를 떠나 정북쪽으로 대략 몇 십 걸음을 가다 땅에 난 구멍을 보고는 그 아래로 병자용 지팡이를 내려두고 신발을 벗고는 땅에 난 구멍으로 뛰어들었다. 구멍 안에서 어떤 사람이 받쳐주는 듯 했는데 땅바닥에 떨어져 정신을 잃었다가(昏迷) 깨어났다.

한참 뒤에 깨어나 눈을 뜨고 바루 위를 보니 하나의 점으로 보이는 파란 하늘이 보였다. 학구가 말했다.

“죽으려고 뛰어들었는데, 무엇 때문에 죽지 않았는가!”

잠시 후에 깜깜한 곳에서(黑暗) 정북쪽에 밝은 곳이 있는 것을 보고 밝은 곳으로 대략 10여보를 갔는데, 백옥 지팡이 하나를 보았다. 손을 써서 잡으려 했는데, 그것은 문틈이었는데, 어깨로 밀어 그 문을 열려 하자 대낮처럼 밝아졌다. 돌로 된 자리(石席)가 하나 보여 앉아 오랫동안 쉬었는데, 몸이 지쳐있어 그 돌자리 위에서 잠이 들었다. 홀연히 몸을 펼쳤는데, 다리에 부드러운 한 덩어리가 닿았다.

학구가 놀라서 몸을 일으키고는 보니 이게 뭐람? 말할 필요 없이 학구가 도착한 곳은 그저 한나라 황실(漢家) 400년의 천하가 모두 끝나려던 것이었다.(合休)

학구는 큰 구렁이(巨蟒) 한 마리를 보았는데, 한 덩어리의 크기였고, 높이는 대략 3척(尺)이었다. 즉시 큰 구렁이는 구멍 속으로 들어가 버렸다. 학구가 구렁이를 따라 구멍으로 들어가자 구렁이는 보이지 않고 대신 돌상자 하나가 보였다.

학구가 상자를 열어보자 책 1권이 보였는데, 그걸 꺼내보니, 거기에 404가지의 병을 고치는 방법이 쓰여 있었다. (그 책에는) 신농(神農)의 여덟 가지 종류의 약초를 쓰지 않고, 약을 합치거나 굽지 않고, 환약이나 가루로 만들지 않고, 약재를 보내지도 않고, (책의) 각 면마다 위쪽에는 치

료법이 있고, 여러 징후를 살피는 법이 있었으며, 물 한 잔에 주문을 외워 장애를 고칠 수 있다 했다.

풍질(風疾)에 대한 곳을 보니 이게 바로 학구 자신의 병질(病疾)을 치료하는 방법이었다. 학구는 이를 보고 나서 기뻐하면서 뺨을 치고는 천서(天書)를 거두어들이고 돌자리 위에 앉았다.

이야기를 나누어 보면, 학구의 아내는 또 다시 밥을 지어 왔지만 학구가 다시 돌아오지 않은 것을 보고 공공(公公, 손학공)에게 이를 알리고, 즉시 큰 아들 등을 데리고 (손학구를) 찾았다. 땅 구멍이 있는 곳으로 가서 보니 병자용 지팡이 하나와 피고름이 묻은 신발이 있었다.

(손학구의) 부모와 형, 아내는 모두 땅구멍을 둘러서고 오랫동안 슬피 울었다. 그리고는 땅구멍 안에서 사람이 크게 외치며 부르는 소리를 들었다.

이에 노끈을 가지고 매달아 구멍 안에 놓아 학규를 구출했는데, (학규가) 구망 위로 올라오자 부자가 서로 보고는 크게 울었는데, 우는 것을 마치자 학규가 말했다.

"아버님께서는 마음에 시달리는 걸 마치시지요. 제가 천서 한 권을 얻었는데, 여기 제 병을 고칠 의술이 있습니다."

그리고는 즉시 산장으로 올라가 깨끗한 물 한 잔을 구해 주문을 외고는 목구멍을 통해 뱃속으로 삼키자 풍질(風疾)이 즉시 낫고 모발과 피부가 복귀되었다.

그 이후로 멀고 가까움에 상관없이 모든 이들이 의술을 구해 왔는데 낫지 않는 이들이 없었다. 이에 그에게 보내는 돈과 물건들이 대략 2만여 관(貫)이었고, 그 도리를 따르는 제자들이 대략 500여명이나 되었다. 그 중의 한 명은 성(張)이 장, 이름이 각(角)이었는데, 어느날 사부(師父)에게 말씀을 올렸다.

"집에 늙은 어머님이 가실 해가 되어(年邁), 가서 어머님을 모시고 싶습니다."

학구가 말했다.

"네가 갈 때 너에게 명방(名方) 1권을 줄 테니 돌아오지 않아도 무방하다."

학구가 장각에게 명방을 주고 분부했다.

"의술로 천하의 근심이 되는 질병을 치료하되, 사람들로부터 물건을 받지는 말거라. 내 말을 명심 하거라!"

장각은 사무의 말씀을 듣고 집으로 돌아갔다. 지나가는 곳 마다 병을 치료했는데, 낫지 않는 사람들이 없었고 물건을 받지 않았다. 장각이 말했다.

"의술을 받으려는 이 중에 젊고 건장한 남자들은 나를 따라 제자가 되도록 하고, 늙은이들은 받지 않겠다!"

장각은 사방을 돌아다니며 그를 따르는 제자들이 대략

10만여 명이 되었는데, 그 명성은 원래 있던 곳과 비슷했는데, 갑(甲)이 되는 연월일시에 나타나기로 했다.

"만약 내가 너희를 필요로 하면 글을 보낼 테니, 불처럼 빠르게 오거라. 제자들이 도착하면 도읍에 의지해 모일 것이다. 글이 도착하지 않으면 죽여버릴 테다. 나를 따르지 않으면 재앙이 몸에 미칠 것이다!"

그 날이 되자 황건(黃巾)이 한나라(漢)에 반란을 일으켰다.

장각이 글을 천하에 보내자 며칠도 되지 않아 무리들이 모두 양주(揚州) 광녕군(廣寧郡) 동쪽의 장가장(張家莊)에 모였다. 장각의 고종사촌(姑表) 3명이 장가장(莊) 위에서 사람들을 모여 무리들 앞에서 모두 외쳤다.

"두 동생이 왔습니다!"

두 동생은 보따리 네개를 가져와서 눈 앞에서 풀었는데,

여기에는 노란 두건(黃巾)이 있었다. 그리고는 무리들에게 나누어 주고 머리띠로 두르게 했다. 장각은 모인 무리들에게 말했다.

"오늘 한나라 조정의 천하는 모두 사라지고, 내가 이를 합칠 것이다. 내가 군주가 되는 날에는 너희들 중 큰 일을 한 자는 왕(王)에 봉할 것이고, 그 다음은 제후(侯), 작은 일을 한 자는 자사(刺史)에 봉할 것이다."

모임을 끝냈지만 갑옷이나 의장이 없었다. 앞선 이들은 경무장을 하고 손에는 볏짚과 곤봉을 들었다. 우두머리였던 장각 등 3명이 10만의 장사들(壯士)을 이끌고 먼저 양주(揚州)를 얻고 갑옷, 활, 칼, 안장, 말, 기계를 얻었다.

그 날 군대를 일으켜 양주 광녕군을 시작으로 촌(村)을 만나면 촌을 얻고, 현(縣)을 만나면 현을 얻었는데, 점령한 주(州)와 부(府)는 셀 수 없을 정도였다.

가는 곳마다 집집마다 모두 일어났고, 따르지 않는 이들은 죽이거나 공격해 사로잡았다. 한나라의 천하 중에 3곳 중에 2곳이 점령당했다. 황건은 36만 명을 모았다.

이야기를 나누어 보면, 그날 한 영제(漢靈帝)는 조서를 내려 대신들의 의논을 모았다.

"지금 황건적(黃巾賊)이 36만명을 모았는데, 어떡하면 좋겠는가!"

황보숭(皇甫嵩)이 제일 먼저 꺼내었다.

"신이 폐하께 말씀을 올리는데, 세 가지 계책을 쓰시면 황건적은 자멸할 것입니다."

황제가 세 가지 계책을 물었다.

(황보숭이) 아뢰었다.

"제1 계책은 천하에 사면하는 조서를 내려서, 만약 흉악한 무리가 모반하면, 산의 숲속에 모여 성과 해자를 공격(城池)하는 것입니다. 제2 계책은 관리들의 목숨을 해치고 창고를 약탈하고 무지한 백성들을 다치게 하는 것입니다. 제3 계책은 자발적으로 황건에서 나오려는 이를 국가의 양민(良民)으로 삼고, 황건을 떠나지 않으면 모든 가족들을 죽이는 것입니다."

황제가 말했다.

"경이 아뢴 대로 사면서(赦書)를 보내고, 날이 되면 사면을 진행토록 하시오."

또 아뢰었다.

"지금 한나라 조정에는 병사들과 장수들이 적고, 황건은 훨씬 크니 깨트리지는 못할 것입니다.

폐하께서는 천하에 의로운 군사들(義軍)에게 조서를 내려 관직을 높이고 상을 무겁게 주십시오. 원수(元帥) 한 명을 임명해 장수들이 경계하게 하시고 삼군(三軍, 황제의 군대)에 상을 무겁게 주십시오. 상을 무겁게 내리면 분명 용감한 이들(勇夫)이 있을 것입니다."

황제가 말했다.

"누가 원수로 좋겠소?"

아뢰었다.

"만약 원수로 생각하시는 이가 있다면 (원수의) 인장(印)을 주시고, 만약 그럴 자가 없다면 소신이 기꺼이 맡도록 하겠습니다."

황제가 말했다.

"경에게 (원수의) 인장을 주겠소."

그리고는 공문을 주고 보물을 주어 어림군(御林軍) 10만 명을 거느리는 장소가 되게 했다. 황제의 글(聖旨)에 따르면

"비록 황제의 수레는 없으나 짐의 뜻을 친히 행하는 것과 같으니 마땅히 (짐이) 하는 일과 같도록 하라."

황보숭은 금 인장(金印)을 걸고 원수의 직무를 맡아 황제의 말씀에 따라 병사들을 통솔해 조정을 떠났다.

이야기를 나누어 보면, 이러한 시(詩)가 있다.

"한 황실의 형세가 위태로워 가당치 않게 되

고, 황건은 동방에서 반란을 일으켰구나. 도적 놈들의 행동이 없었다면 하늘을 높이는 참된 대들보(棟梁)가 나타나지 않았겠구나."

이야기를 시작하자면, 한 사람이 있었는데, 성은 관(關), 이름은 우(羽), 자는 운장(雲長)이었는데, 평양(平陽) 포주(蒲州) 해양(解良) 사람이었다. 신선의 눈썹과 봉황의 눈, 곱슬곱슬한 수염에 얼굴은 자주빛 옥 같았고 신장은 9척 2촌이었고, 춘추좌전(春秋左傳)을 즐겨 보았다.

반란을 일으킨 신하들(亂臣)과 도적놈들이 설치는 걸 보면 그 악함에 성을 냈다. 원래 고향 현의 관리가 재물과 뇌물을 좋아하고 백성들을 가혹하게 해치자 (관우는) 현령(縣令)을 죽여도 달아나 숨어 탁군(涿郡)으로 갔었다.

난리에 몸을 감추고 떠돌지(漂泊) 않았다면, 어찌 황금같이 무거운 의리를 나눌 이를 만날 수 있었겠는가.

한편, 한 사람이 있었는데, 성은 장(張), 이름은 비(飛), 자는 익덕(翼德)으로 연주(燕邦) 탁군(涿郡) 범양(範陽) 사람이었다. 표범 머리, 고리 눈, 제비 턱, 호랑이 수염에 키가 9척 정도고 목소리가 큰 종(巨鐘)에서 나는 것 같았다.

집안이 매우 부유했는데, 그는 문 앞에서 한가롭게 서 있

다가 관공(關公)이 앞의 길을 지나는 것을 보고 모습이 비범하고 의복이 누더기 같은 걸 보고 이 곳 사람이 아닌 걸 알았다. (장비는) 그 앞에 가서 관공을 보고 예로서 인사하자(施禮), 관공이 예로 답했다.(還禮) 장비가 물었다.

"군자께서는 어찌 오셨소? 어느 주 사람이오?"

관공은 장비가 묻는 걸 듣고는 장비를 보고 모습이 비범한 것을 보고는 말했다.

"나는 하동 해주 사람으로 고향 현(本縣)의 관리가 모질게 굴고 공정하지 않아 내가 죽였소.

이에 고향에서 살 수 없어 이 곳으로 피난 온 것이오."

장비는 관공이 말을 마치자 대장부의 뜻을 가졌다 보고, 관공을 술집 안으로 맞이했다. 장비는 200전 어치 술을 가져오라 외치자, (술집) 주인이 소리를 듣고 왔다. 관공은 장비가 초야(草次)에 있을 사람이 아니라 보고 이야기를 나

누며 함께 술을 마셨다. 관공 술잔을 돌려주려 했지만 돈이 없어 난처한 뜻을 보였다. 장비가 말했다.

"어찌 그러실 필요 있겠소!"

그리고는 다시 주인에게 술을 가져오라 했다. 두 사람은 술잔을 쥐고 권하며 서로 이야기를 하는 것이 오랜 친구와 같았다.

바로 그렇구나. 용과 호랑이가 서로 만난 날,
군주와 신하가 기쁘게 모인 때로구나.

또 다른 한 사람 이야기를 하자면, 성은 유(劉), 이름은 비(備), 자는 현덕(玄德)으로, 탁군(涿郡) 범양현(範陽縣) 사람인데, 한경제(漢景帝)의 17대 현손(賢孫)으로, 중산정왕(中山靖王) 유승(劉勝)의 후손이었다. 용의 코, 봉황의 눈, 우왕의 등, 탕왕의 어깨, 신장은 7척 5촌이고, 손은 무릎을 내려왔다. 말할 때 기쁨과 노여움이 낯빛에 드러나지 않았고 호걸들과 관계를 맺었는데, 어릴 때 고아가 되어 어머니와 함께 돗자리를 짜고 신발을 엮어 생계를 이어나갔다.

집 동남쪽 모퉁이 울타리 위에 뽕나무 하나가 있어 높이가 5장(丈) 정도 되었는데, 그걸 바라보면 층층이 위를 덮은 것이 작은 수레 같았다. 지나가는 사람들이 모두 이 나무를 괴이하고 비범하게 여기며 분명 여기서 귀한 사람(貴人)이 나올 것이라 했다. 현덕(玄德, 유비)은 어린 시절 집안의 여러 아이들과 나무 아래에서 놀며 말했다.

"내가 천자(天子)가 되면 여기가 장조전(長朝殿)이 될거야."

작은 아버지 유덕연(劉德然)이 현덕을 보고 일어나 말했다.

"네가 한 농담이 우리 가문을 멸망시키겠구나."

유덕연(德然)의 아버지는 유원기(元起)였는데, 유원기(起)의 아내가 말했다.

"저 아이는 다른 집 아이니 집안에서 쫓아내야 합니다."

유원기가 말했다.

"우리 집안에 저 아이가 있는데, 저 아이는 비상한 인물이니 그런 말은 하지 마시게!"

15세가 되어 어머니가 (유비를) 공부시키러 보냈는데, 구강(九江)태수 노식(盧植)이 있는 곳에서 학업을 하게 했다.

덕공(德公, 유비)는 글 외거나 읽는 것을 그리 좋아하지는 않고, 개, 말, 아름다운 의복을 좋아하고 음악을 좋아했다.

어느 날, 시장에서 신발을 팔러 가서, 다 팔고 나서 주점 안에 가서 술을 사 마셨다. 관우, 장비, 두 명이 덕공이 비범하게 생긴 모습을 보고 천 가지 이야기를 하고 복의 기운이 끝이 없다고 보았다.

관공은 덕공에게 술을 가지고 갔다. (덕)공이 두 사람을 보고 그 모습(狀貌)이 비범한 것을 보고 매우 기뻐하며, 사양하지 않고 잔을 받아 술을 마셨다. (유비가) 술 마시는 걸 마치자 장비가 잔을 주자, 덕공은 다시 잔을 받아 술을 마셨다.

장비는 덕공을 같은 자리로 맞이해 술을 세 잔 마셨는데, 세 명이 같은 질에 있게 되었는데, 예부터 사귀던 친구처럼 의기투합했다. 장비가 말을 꺼냈다.

"이 곳은 우리가 앉아있을 만한 곳이 아닙니다. 두 공(公, 덕공과 관공)께서는 괜찮으시다면, 탁 트인 저택(宅)에 가서 한잔 마시지요."

두 공은 장비가 말한 걸 듣고 장비를 따라 저택으로 갔다. 그 뒤에는 복숭아밭(桃園)이 하나 있고, 복숭아밭 안에는 작은 정자가 하나 있었다.

장비는 두 공을 맞이해 정자 위에서 술자리를 벌였는데, 세 사람이 기쁘게 마셨다. 마시던 중에 세 사람이 각각 태어난 해를 이야기 했는데, 덕공이 가장 많고, 관공이 다음, 장비가 가장 적었다. 이에 나이가 많으면 형으로, 작으면 동생이 되기로 했다.

그들은 흰 말을 잡아 하늘에 제사지내고, 검은 소를 죽여 땅에 제사지냈다.

"비록 한 날에 태어나지는 않았지만, 한 날에 죽기를 빌겠습니다."

세 사람은 같이 다니며, 같이 앉고, 같이 잤으며, 형제의 맹세를 맺었다. 덕공은 한나라 조정이 알을 쌓아놓은 것처럼 위태롭고, 도적들이 떼 지어 일어나고, 백성들은 걱정하는 것을 보고 한탄했다.

"대장부로 세상에 태어나서 어찌 이럴 수 있겠는가!"

그는 때때로 함께 의논하며 도탄(塗炭)에 빠진 백성들을 구원하고, 천자의 거꾸로 된 지위를 풀려 했다. 간신들이 목숨을 도둑질하고, 도둑놈이 권세를 농단하는 걸 보고 항상 마음속이 평안하지 못했다.

용과 호랑이가 다투지 않고 인의(仁義)를 세우니 도적놈들과 참소하는 신하들(讒臣)이 자다가도 벌떡 깨는구나.

한편, 장비가 하루는 두 형에게 말했다.

"지금 황건적이 여러 주를 휩쓸며 백성들의 재산을 강제로 빼앗고 부녀자들을 겁탈하는데, 만약 도적놈들이 오면 저 장비가 집안 재산이 있어도 주인으로 지킬 수 없을 겁니다."

현덕이 말했다.

"그럼 어떻게 해야 하나?"

장비가 말했다.

"우리가 연의 주군(燕主)을 만나는 게 낫지 않겠습니까. 작게나마 의병(義兵)을 모으면 적이 와도 두렵겠습니까?"

현덕이 관공과 함께 말했다.

"그 말이 맞구나."

곧장 말에 올라 집을 떠나 연의 주군과 일을 논의하러 갔다.

연의 주군의 섬돌 앞에 도착해 말에서 내리자 문지기가 멈추게 했다.

장비가 말했다.

"우리가 특별히 주공(主公)을 뵈러 와서 좋은 일을 상의하기 위해서요."

문지기가 말했다.

"잠시 기다리시오. 주공께 말씀드리겠소."

문지기는 관청에 가서 말했다.

"한 사람이 관아 앞에 와서 주공께 의논할 일이 있다 합니다."

연의 주군이 말했다.

"들라 하라."

장비는 즉시 문지기를 따라가 대청 위로 올라가자, 연의 주군은 장비에게 앉도록 했다. 연의 주군이 물었다.

"공은 무슨 일로 오셨소?"

장비가 말했다.

"지금 황건적이 천하에 널리 퍼져 있는데, 만약 여기로 오면 준비하지 않고 있다면 물리칠 수 없어 연의 수도(燕京)가 부서지지 않겠습니까?"

연의 주군이 말했다.

"비로 그렇더라도 창고에는 돈이 없고 곳간에는 곡식이 없어, 군인들을 먹일 양식이 없네. 그런데 누가 그 두목이 되겠는가?"

장비가 말했다.

"제가 비록 위로는 상부를 모시고 아래로는 백성이나 대략 적게나마 재산이 있어 군인들을 먹일 수 있습니다."

연의 주군이 말했다.

"그렇게 의병을 모으려면 누가 두목이 되겠는가?"

장비가 말했다.

"저희 집에 한 명이 있습니다. 성은 유, 이름은 비, 자는 현덕으로 중산정왕(中山靖王) 유승(劉勝)의 후예이지요. 그 분은 참으로 용의 콧대, 봉황의 눈, 귓불은 어깨를 지나고, 손은 무릎을 지나는데, 두목이 될 만합니다."

연의 주군이 즉시 명을 내려 의로운 깃발을 세우고, 그 우두머리를 유현덕으로 하고, 그 아래에 관운장, 장익덕, 미방(糜芳), 간헌화(簡獻和, 간옹), 손건(孫虔)을 두었다. 한 달이 지나지 않아 의군 3,500명을 모았다.

연의 주군은 그 날 유비와 함께 훈련소(教場) 안에서 군사들을 교련했는데, 연의 주군이 군대와 장수들을 보니 사람마다 힘이 있고, 개개인이 영웅의 위엄이 있었다. 연의 주군은 매우 기뻐했는데, 정문에서 한 사람이 와서 알렸다.

"나쁜 소식이 있습니다!"

유군(幽郡)에서 창과 갑옷을 가진 용사들을 모아, 반란을 일으킨 황건을 찾아 죽이러 가는구나.

연의 주군이 말했다.

"어떤 나쁜 소식이냐?"

대답했다.

"지금 황건적이 성에서 100리에 있는데 유주를 차지하려 오고 있습니다."

연의 주군이 말했다.

"의군(義軍)의 두목은 어디 있는가?"

현덕이 말했다.

"주공께서는 걱정 마시지요. 저 유비가 군사들을 이끌고 가 황건을 격파하겠습니다."

말을 끝내고 현덕 연의 주군에게 인사를 하고는, 모집한 군사들과 함께 성을 나와 30리 떨어진 곳에 진을 쳤다. 현덕은 장막에 가서 물었다.

"누가 과연 적들의 많고 적음을 알아 보겠는가?"

말이 끝나기 전에 장비가 장막 앞으로 와서 말했다.

"저 장비가 가보겠습니다."

현덕이 말했다.

"형제여, 조심스레 가시게!"

말이 끝나자 장비는 말에 올라 진지를 떠났다.

오래지 않아 장비가 돌아와 말에서 내려 장막 앞에 가서 보고했다.

"지금 한나라 천자께서 원수 황보숭(皇甫嵩)을 통해 조칙(詔敕)을 가지고 왔는데, 어떤 죄인이든 군사를 모집하고 말을 사서 황건적을 격파할 사람이 있다면, 선봉의 인장(先鋒印)을 내린다 합니다.

만약 황건적을 멸하면 관직을 봉하고 상을 내린다 합니다. 형님께 고합니다. 우리가 이 곳에 있으면 그저 한 군

(郡)의 주인인데, 그럴 바에야 한나라 원수(元帥)에게 몸을 바쳐서 국가를 위해 힘을 바치는 게 낫지 않겠습니까? 동쪽을 흔들고 서쪽을 쳐부수고, 남쪽을 정복하고 북쪽을 토벌해 지금 공을 세워 보이고 이후에 이름을 드날립시다."

현덕은 장비로부터 듣는 걸 마치고 크게 기뻐하며, 즉시 수하들을 이끌고 진영을 나와 원수(元帥, 황보숭)를 맞이하러 갔다.

원수가 장막에 와서 말했다.

"지금 천자께서는 너희 모든 의군들(義軍)의 죄를 용서하셨으니, 만약 황건을 격파한다면 즉시 높은 관직을 내리고 두터운 상을 내릴 것이다."

말을 마치고 원수가 현덕에게 앉게 했다. 관우, 장비는 모두 (유비를) 시중들었다. 원수가 현덕, 관우, 장비를 보니 그 모습이 위용이 있어 크게 기뻐했다.

"이런 영웅들이 있으니 황건적을 잡초처럼 쳐부술 수 있겠구나!"

정찰병이 돌아와서 말했다.

"적병들은 큰 형세는 곤주(袞州) 석경부(昔慶府)에 제일 많은데, 적군 50만이 두 곳에 있습니다. 곤주에는 적군이 30만이 있고, 곤주에서 30리 떨어진 행림장(杏林莊)에 두목이 둘 있는데, 한 명은 장보(張寶), 한 명은 장표(張表)

로, 병사 20만을 거느리고 있습니다."

원수는 선봉장(先鋒將)에게 5만 군사를 이끌게 해 석경부(昔慶府)로 가 사실인 지 거짓인 지 알아보게 했다.

유비가 말했다.

"5만의 군대는 필요 없고, 저희 부대 3,500의 군사만 쓰면 됩니다."

(유비는) 먼저 임성현(任城縣)으로 가 진을 쳤다. 원수의 대군은 그 뒤를 따랐으며 또한 임성현 앞에 와서 진을 쳤다. 원수는 또 장수들에게 물었다.

"누가 다시 적들의 사실과 거짓을 알아보고 적들을 다스리겠는가?"

유비가 말했다.

"저 유비가 선봉이 되어 가겠습니다."

이에 즉시 분부를 내려 조서를 내렸다. 유비는 짐을 꾸려 사면 조서(詔赦)를 받고 원수에게 인사를 드리고 자신의 부하들을 이끌고 임성현 동문으로 가서 강을 건너 갔는데, 그 앞의 반촌(班村)으로 갔다. 현덕이 물었다.

"여기서 행림장(杏林莊)을 통해 장표(張表)까지는 거리가 어떤가(遠近)?"

"대략 15리입니다."

현덕이 군사들에게 물었다.

"사면 조서(詔赦)를 행림장까지 가지고 가서 장표(張表)에게 전하려면 어떡해야 하는가?"

말을 마치자 장비가 말했다.

"저 장비가 가겠습니다."

(유비가) 말했다.

"너는 군사가 얼마나 필요하겠느냐?"

장비가 말했다.

"군사들을 쓸 필요는 없습니다. 저 장비가 혼자 사면 조서를 가져가 장표(張表)에게 전하겠습니다."

장비는 사람 하나 말 하나로 행림장으로 나갔다.

문지기 병사가 막았지만 그러지 못하고 곧바로 중군 막사까지 가서 말을 세우자 창으로 막았다. 장막에 앉아있던

50여명 가운데 장표(張表)가 앉아있었고, 장막에 있던 50여 명은 창으로 막았다. 장표 등의 무리가 모두 놀랐는데, 장표가 물었다.

"누구냐? 정찰병이 아니냐?"

장비가 말했다.

"나는 정찰병이 아니다. 나는 한나라 원수의 수하 선봉군내의 한 병사다. 나는 사사로이 온 게 아니라 황제의 글(聖旨)과 함께 사면 조서(詔赦)를 가지고 왔다. 모반(謀反), 대역죄(大逆), 천자의 관리를 살해한 죄를 모두 사면(赦免)한다는 내용이다. 한나라에 투항하는 자는 황건에서 떠나고 국가의 깃발을 달면 자식과 아내는 보호받고 높은 관직과 두터운 상을 줄 것이다. 투항하지 않는다면, 모두 다 죽여 버리겠다!"

장표는 이를 듣고 크게 화내며 주변 사람들을 불러 즉시 잡으라 하자, 군사들이 모두 앞으로 와서 장비를 찌르려 했다. 장비가 망설임 없이 장팔장창(丈八長槍)을 이용해 이들을 찍고 휘두르자 어찌하지 못하고, 무리들이 앞으로 나아가지 못했다. (장비가) 적들의 창과 몽둥이를 쳐서 부러뜨린 게 셀 수 없었다. 진영 안에서 적병들을 놀리쳐 놀라며 두려워하며 스스로 물러났다.

장비는 기마 한 기로 적군 사이에서 종횡무진으로 다니자 아무도 감당하지 못했다. 적군들은 그러다 징과 북 소리를 들었다. 장표가 보니 한 사람이 와서 장막에 와서 보고했다.

"대왕, 큰 일 입니다!"

장표가 물었다.

"무슨 큰 일이냐!"

"지금 한나라 선봉군이 여섯 부대로 나뉘어 각각 500명으로 징과 북 소리를 어지럽게 내고, 깃발을 흔들고 고함을 지르며, 문을 빼앗고 들어와 진영 안으로 들어왔습니다!"

장표는 급히 적병들을 이끌고 한번에 일어나 곤주(袞州)로 달려 도망쳤다. 한나라 군사들을 그들을 뒤따라 50여리 정도 추격했다.

현덕은 군사들을 수습해 행림장 앞에 진을 쳤다.

현덕은 진영(寨門)의 수비를 강화하고 장수들을 훑어 보고는,

군사들에게 물었다.

"적을 어디까지 추격했는가?"

대답했다.

"(적들은) 군의 곤주성으로 들어갔는데, 노인과 어린이들을 버려두고 가, 그들을 모두 죽였습니다."

현덕은 이를 원수에게 보고하기 위해 행림장으로 보냈다.

원수는 이를 받고는 크게 기뻐하고는,

즉시 군사들을 이끌고 행림장으로 갔다.

유비는 원수를 맞이해 장막에서 함께 앉아 연회를 열었다. 원수는 령을 내려 선봉군의 병사들과 부하 장수, 두목 등에게 모두 상을 내렸다.

연회가 한창일 때 정찰병 하나가 장막 앞에 와서 보고했다.

"지금 장표가 곤주에 들어가 장보(張寶)와 병사를 하나로 합쳤는데, 세력이 매우 큽니다."

말이 끝나자 원수가 령을 내렸다.

"누가 가서 곤주를 차지하겠는가?"

현덕이 말했다.

"저 유비가 가겠습니다."

원수가 크게 기뻐했다.

"적병의 세력이 크니 적은 수로는 대적하지 못하니 장군과 병사들은 많이 데리고 가시오."

유비가 말했다.

"많은 군사는 필요 없습니다. 저희 부하들 잡호군(雜虎軍)이면 충분합니다."

원수가 말했다.

"그대 뜻이 그렇다면 그렇게 하시게!"

현덕은 즉시 원수에게 인사드리고 사면 조서(詔赦)를 가지고 병사들을 거느리고 곤주로 달려가서,

곤주 앞 10여리에 진영을 세웠다.

현덕이 말했다.

"누가 장표와 장보에게 가서 사면 조서를 주겠나?"

장비가 말했다.

"제가 가겠습니다."

현덕이 말했다.

"병사는 얼마나 필요하겠나?"

장비가 말했다.

"한 명도 필요 없고 저 장비 혼자 가겠습니다."

현덕이 말했다.

"실수가 있을까 걱정이구나. 너는 군사 500명을 데려가도록 해라."

장비가 이에 소리 질렀다.

"필요 없어요. 필요 없다구요!"

현덕이 말했다.

"그래도 군사 조금은 데려가거라."

장비가 말했다.

"그러면 자원해서 가려는 군사 조금 데려가겠습니다. 나랑 같이 가면 공을 세워 자손들이 영원히 나라의 녹(國祿)을 받을 것이다!"

한 번 소리 지르니 7명, 7기가 모였고, 두 번 소리 지르니 3명, 3기가 모였고, 세 번 소리 지르니 2명, 2기가 모여, 합쳐서 13명이 모였다. 장비가 말했다.

"충분하구나!"

장비는 13명을 이끌고 사면 조서(詔赦)를 가지고 곤주 앞의 성 아래에 도착했다.

장비가 해자에서 바라보니 망루(敵樓)가 싸울 준비가 되어 있고, 사슴뿔같은 장애물이 설치되어 있고, 참호(壕塹)가 파져 있었고, 성 위를 보니 던질 나무와 돌이 많고, 다리가

끌어올려져 있고, 그 아래에는 판자가 놓여 있었다.

장비가 성의 해자 밖에서 큰 소리로 외쳤다.

“성 위의 사람 중 누가 되었든 나와 이야기 해보자!”

말이 끝나자 성 위의 한 무리의 군사들이 와서는 물었다.

“네가 데려온 병사들은 누구냐?”

장비가 말했다.

“나는 한나라 원수 휘하의 선봉장 밑에 있는 장비다.”

그리고는 성위에다가 물었다.

“너는 누구냐?”

“나는 이곳 곤주의 두목 장보다.”

장비가 말했다.

“나는 지금 한나라 조정의 사면 조서를 가지고 왔다. 네

가 투항하면 모든 죄를 사면시켜 주고 광직을 봉하고 두터운 상을 줄 것이다. 투항하지 않으면 전부 주륙낼 것이다!"

장보는 이를 듣고 크게 화내며 즉시 문을 열고 맞서려 했다.

장표가 말했다.

"안 됩니다. 저 장표가 행림장에 있을 때, 저 한나라 놈이 혼자서 말을 타고 진영 안으로 들어왔는데, 군사들이 당해내지 못해 행림장을 잃게 되었습니다."

장보가 말했다.

"그럼 어떡해야겠소?"

장표가 말했다.

"(문을) 굳게 닫고 나가지 말고, 장비의 계책을 경계해야 합니다. 그리고 양주(揚州)에 구원을 요청하시지요."

장비가 성 아래에서 크게 외쳐도 성 위에서는 아무 말도 없었다. 장비가 크게 화내며 성을 돌며 크게 욕했지만 아무도 반응하지 않았다. 그리고는 다시 남문으로 가서 성 아래에서 크게 외쳤다.

"성문을 지키는 자가 누구냐?"

역시 아무도 반응하지 않았다.

장비는 반응이 없는 걸 보고 군사들에게 말했다.

"우리는 한나라 군사들로서 안장 위에서 말을 떠나지 않고, 갑옷을 벗지 않고, 활과 함께 모래 위에서 한 달을 지내고, 갑옷으로 땅에 누워 비늘이 돋힐 정도로, 서로 힘써 죽이며, 이까지 왔다.

우리는 오늘 이 해자 앞에 버드나무가 많은데, 버드나무 아래에서 갑옷을 풀고, 해자에서 몸을 씻고, 말도 나무 아래에서 쉬게 하자."

그러는 중에 장비는 성 위를 가리키며 다시 욕을 퍼부었다. 장표는 장비가 성 해자에서 씻으며 사람과 말이 방비가 없는 걸 보며 매우 화냈다. 장표가 형에게 말했다.

"내가 오늘 저 한나라 놈을 못 죽인다면 죽어도 치욕을 갚지 못할 겁니다!"

형 장보가 말했다.

“우리 군은 대략 50만 정도 되고 장수도 천 명 정도 된다. 우리 군은 머릿수가 10만이고 천하를 다니며 감히 대적할 이가 없다. 우리는 한나라 조정의 시대를 쳐부수고 3분의 2를 차지해 그 땅을 보면 모두 우리에게 속한다. 그런데 오늘 장비가 나타나 행림장의 작은 진영 하나를 잃었다고 네가 마음속으로 두려워 할 필요는 없다. 위로는 장군, 아래로는 흩어진 군사들(散軍)까지 장비와 맞서려는 사람이 있다면 누구든 상관없이(不問兄長) 두터운 상을 내리겠다.”

장표가 말했다.

“그날은 하늘이 어두웠고 우리 군은 갑옷에 익숙하지 않고 말에는 안장이 없었습니다. 그리고 이후에 큰 무리의 군대가 와서 행림장을 잃은 것입니다.

지금은 장비 13명뿐이니, 저 장표가 5천 군사를 데리고 반드시 장비를 사로잡겠습니다!”

장보가 말했다.

“내 동생이 하는 말이 맞구나.”

즉시 5천명의 군사들을 이끌고 다리를 내려 성 밖으로 나아갔다. 장비는 병사들이 성 밖으로 나오는 걸 보고 한번에 말에 올라앉아서 갑옷을 입고 각각 무기를 잡아 남쪽으로 달아났다. 앞으로 가 요가장(姚家莊)에 도착했는데, 곤주로부터 대략 40여리 떨어진 곳이었다.

장표가 뒤를 쫓아 행림장에 도착하자 군사 무리 천여 명이 있었는데, 그 곳의 수장은 선봉 이었던 유비였는데, 손에는 쌍고검(雙股劍)을 들고 몸에는 비단 도포를 입고, 말 위에서 깃발 아래에서 외쳤다.

"적군 두목은 누구냐?"

"내가 바로 장표다!"

현덕은 이를 듣고 고개를 돌려 나가 두 사람이 싸우기 시작했다. 약 20여 합(合)을 겨룬 뒤에 500여 명의 군사가 갑자기 나타나 습격했는데, 맨 뒤에 있던 장수는 간헌화(簡獻和)였고, 뒤섞여 싸우며 죽여 장표는 크게 패했다.

장표는 군을 돌려 곤주로 달아나자 그 뒤를 현덕이 습격했다. 앞에 큰 숲이 있었는데, 숲 속에 한 군사 무리가 있었는데 대략 1천여 명이었고 말을 타고 칼을 휘둘렀다. 장표가 급히 물었다.

"지금 나온 놈은 누구냐?"

"나는 한나라 선봉의 수하의 병사 중 하나로 관모(關某)이고 자는 운장(雲長)이다."

그리고 말했다.

"적장은 어찌 말에서 내려 항복하지 않느냐!"

장표가 크게 놀랐다. 운장이 칼을 가로로 들고 앞으로 나아가자 장표는 감히 대적하지 못하고 길을 바꿔 도망갔다. 현덕의 군대는 또다시 쫓아갔는데, 관우와 함께 장표의 군대를 열에 아홉은 나누어(九分) 100여 명도 남지 않게 되었다. 늦게까지 전투를 벌이며 곤주성 앞까지 가게 되었다. 장표가 급히 큰 소리를 내었다.

"무을 열어라! 뒤쪽에 복병이 있어 매우 위급하다!"

성 위에서 장보(張寶)가 화급히 문을 열자 성 안에 도착한 장표의 군대는 5~70명에 불과했다. 해자 밖의 버드나무 숲에 있던 장비의 매복군이 일시에 성 안으로 치고 들어가 장표의 군사들을 물에 빠트려 죽인 자들을 셀 수 없었다. 장비는 110여명을 이끌고 크게 소리쳤다.

"다리의 밧줄을 끊어버려라!"

그러자 뒤따르던 곤대가 성 안으로 들어왔다. 밤 중인지라 장보, 장표는 또 한나라 군대의 규모를 알지 못하고 급히 북문으로 도망쳐서 곤주를 되찾게 되었다. 다음 날이 되어, 원수가 연회를 열어 의논했는데, 정탐병이 와서 보고했다.

"패전한 군사들은 광녕군(廣寧郡)으로 들어갔습니다."

원수가 말했다.

"내일 아침 선봉이 군대를 이끌고 가면 그 뒤를 대군이 영채를 거두고 따라가 양주로 가겠다."

(이후 유비는) 승주(勝州)의 길을 통해 해주(海州)를 지나 연수(漣水)를 거쳐 회하(淮河)를 건너 태주(泰州)를 지나 서쪽의 양주(揚州)에 도착했다. 선봉 유비가 도착해 성에서 대략 화살이 닿을 만한(射) 거리에 진을 쳤다.

한편, 장표가 군사들을 돌보다가 장보가 보이지 않자, 난전중에 죽은 것을 알게 되었다. 이에 장각(張角)은 크게 분노했다. 그러다 정창병이 와서 보고했다.

"정탐해보니 한나라 군대가 가까이 왔는데, 선봉 유비가 성 앞에 화살 하나 거리에 와서 진을 쳤습니다."

장각은 장수들을 모아 회의했다.

"내일 아침 대군으로 성을 비우고 쳐들어가 유비를 맞이하도록 한다."

다음날 날이 밝자 장각은 군대를 이끌고 나갔다.

유비는 군대를 세 부대로 나누어 관우, 장비 두 명이 각

각 한 부대를 맡게 했다. 그리고 우두머리는 두 군대가 서로 마주할 수 있게 했다. 관공은 적들의 뒤를 습격하고, 장비는 옆구리를 쳤다. 유비는 낮은 장교들에게 크게 외쳤다.

“적군들이여, 만약 황건을 떠나며 병기들을 버리고 가면 사면해 주겠다! 장각을 잡는 자에게는 오패와 같은 제후(五霸諸侯)에 봉하겠다!”

말을 마치자 원수의 군대가 도착했다. 적들은 이를 듣자 창을 던지고 갑옷을 버리며 황건을 떠나고 항복한 이들을 셀 수 없을 정도였다. 장각, 장표는 전투 중에 사망했다. 유비는 양주를 얻고 한나라 원수는 군대를 이끌고 양주로 들어갔다.

원수는 명령을 내려 백성들을 어루만지고 가을의 털(秋毫) 하나도 손대지 않게 하고 이를 범한 자는 군령에 따라 처벌하게 하자, 백성들이 모두 기뻐했다.

원수는 령을 내려 선봉이 된 우두머리와 그 이하 장수와 병사들에게 내일 연회에 참석하도록 했다. 다음날, 자리에 참석하자 원수가 말했다.

“크고 작은 관리들은 황건적을 물리친 공으로 상을 받게 하겠다!”

각각의 사람들은 상을 내리고 조정에 표(表)를 올려 군을 돌려 돌아갈 날을 정했다. 장안에 도착해 원수는 군사들이 동문 밖에 진영을 세우도록 했다. 원수가 유비에게 말했다.

“황건적을 물리친 공은 모두 현덕에게 있네. 내가 지금 황제를 뵙고 황건적을 물리친 일을 아뢰어 군왕(君王)께서는 이에 어긋날 일이 없을 걸세.”

그리고는 유비에게 말했다.

“동문 밖의 진영에서 2~3일 정도 기다리게.”

그날, 유비가 제후들과 있는 곳에서 낮은 장교(小校)가 와서 보고했다.

“한나라에서 사신이 와서 선봉을 보자 합니다.”

유빈는 이를 듣고 황급히 궁문을 나와 영접해 군대 내에서 인사를 했다. 유비는 예를 마치고 상시(常侍) 관직으로 온 이에게 물었다.

“그대는 내가 누군지 모르오? 나는 십상시 중 한 명이

오."

단규(段圭)가 말을 이었다.

"우리들이 상의한 결과, 현덕공(玄德公)은 황건적 도적떼를 토벌해 금은보화를 많이 거두었을 텐데, 그러니 그대는 30만관(貫)의 금은보화를 우리에게 바치시네. 그러면 그대는 제후(封侯)로 임명될 것이고, 금색 허리띠와 자주색 옷을 내리겠네."

유비가 말했다.

"저희는 그저 해자에 성채를 세워 싸웠을 뿐이고 금은보화 같은 것들은 원수께서 거두시고 저 유비에게 나눠준 것이 거의 없습니다."

단규는 말을 듣고 홀연히 일어나 떠나면서 걸어가며 유비에게 머리를 돌리고는 꾸짖었다.

"뽕나무 촌동네(桑村)에서 밥이나 빌어먹던 놈이 금은보화를 다른 사람에게 줄 리 있겠느냐!"

장비가 크게 화내며 주먹을 휘두르며 단규의 바로 앞에까지 갔다. 유비, 관공, 두 사람은 (장비를) 뜯어말려 멈추려 했지만 주먹에 맞아 이가 깨져 떨어졌는데, 떨어진 것은 어금니 두 개였고, (단규의) 입안에는 피가 가득 흘렀다. 단규는 입을 막고는 돌아갔다. 유비가 말했다.

"너 때문에 우리 군대가 곤란해지겠구나!"

다음날 새벽에 원수가 유비에게 와서 이야기했다.

“황제께 표(表章)를 올려 그 공로는 당신 덕이라 했네! 초록색 도포와 회화나무 판(槐簡)을 준비하게 하고 내일 아침에 문 밖에서 황제의 뜻(聖旨)을 기다리시게.”

유비는 조정의 문 밖에서 대략 반 달 정도 기다렸지만 부름이 없었다. 각각 조서를 통해 불러 원수 밑의 장수들에게 관직과 상을 주고 부임하도록 했다.

그러나 밖에 있던 유비 등에 대해서는 한 달 여가 지났지만 불러들이지 않았다. 세 사람은 근들의 진영으로 갔는데, 유비는 답답한 마음에 장비를 바라보았다.

‘(장비가) 주먹으로 단규를 친 것 때문에 관직을 받는 것이 안되는 것이구나.’

생각을 마치고 여러 호기군(虎旗軍)들이 일제히 유비에게 와서 장비에 대해 말했다.

“장군을 뵙고서 공을 세웠지만 누구도 알아주지 않으니, 공이나 상을 받은 이들이 없어 더 이상 기다릴 수 없습니다. 저희들은 각자 집으로 돌아가겠습니다.”

유비가 말했다.

“공을 세운 것은 모드 우리 군사의 노고 덕인데, 공으로 상을 받는 군대가 없으면 우리 군을 어찌해야겠는가? 한나라 황제께서 잘못 하시지는 않을 테니 얼마간 기다려 보면서 공을 알아주시길 기다리면, 3~5일 정도 후에 다시 보도록 하자."

다음날, 유비는 다시 조정의 문 밖에서 황제의 뜻(聖旨)을 기다렸다. 아침 조회를 마치고 문관, 무관들이 문 밖으로 나왔는데, 말 네 마리가 이끄는 은방울 수레 하나를 보았는데, 금색 그림을 수놓았고, 짙은 갈색 양산을 쓰고 있었다.

유비가 원통하다며 크게 세 번 소리치자, 수레 안에 있던 관리가 물었다.

"그대는 무엇이 그렇게 원통하시오?"

유비가 수레 앞에 서서 말했다.

"저는 황건적을 격파한 선봉 유비입니다."

"그런데 어찌 그리 억울하다 외치시오?"

유비가 말했다.

"원수님 아래의 장수들에게는 상을 내리시고 관직도 임명하셨습니다. 그러나 여기 있는 저 유비의 군대에 대해서는 조정을 몇 개월이나 기다렸으나 상을 내리지 않으십니다. 이 때문에 군대 사람들이 굶주려 모두 흩어지고 있습니다."

수레에 있던 사람은 황제의 국구(國舅, 장인) 동성(董成)이었는데, 그가 말했다.

"이 또한 십상시(十常侍)가 관직을 어지럽히는 일이구려. 선봉은 안쪽 문 밖에 있으시게. 우리가 돌아가서 황제 폐하께 아뢰겠네."

대략 두 시간 정도 지나서 진시(時辰)가 되어 돌아왔다.

"선봉은 나를 따라오시게."

국구(國舅)의 집에 도착해 유비에게 차와 식사를 주었다. 유비는 몸을 굽히고 손으로 예를 표했다.

"국구께서는 원수가 어떤 표문(表章)으로 아뢰었는지 아실 수 있으십니까?"

"오늘은 날이 늦었으니 내일 아침 조회(早朝)에 대신들이 상의해 그대에게 관직과 상을 줄 것이네. 내일 폐하의 뜻(聖旨)이 내려올 걸세."

유비는 인사를 드리고 본진으로 돌아가 군대 내의 장수들에게 이를 말하자 크게 기뻐했다. 다음날이 되어 다시 조정문 밖에서 황제의 뜻(聖旨)을 기다렸는데, 십상시 관리가 조서를 내렸다.

"선봉 유비를 불러 황제의 뜻을 내린다!"

유비가 인사를 마치고 땅에 엎드렸다.

"장안(長安)에 도착해 시간이 얼마나 되었는데, 관청의 식량을 받지 못했소?"

유비가 말했다.

"37일 되었습니다."

"장안에서 정주(定州)까지는 얼마나 걸리오? 정주까지 가는데 걸리는 시일을 계산한 다음에 청하면, 양식과 풀을 제공하겠네. 유비는 정주 정주의 외곽 안희현(安喜縣) 현위(縣尉)에 임명한다. 태산(太山)의 도적들이 많으니, 그대가 부하들의 군대를 이끌고 진압하도록 하시오."

유비는 그래서 정주로 가 예를 갖추고 안희현으로 가 정주의 관원을 찾아뵈었다.

"지금 안희현 현위가 삼가 뵈옵니다."

관정 앞에 가서 예를 갖추자 태수가 크게 화내며 꾸짖었다.

"유비는 절하지 말라!"

이에 주변 사람들이 유비를 잡고 말했다.

"지금 황건적을 물리치는 게 끝나지 않아, 그들이 산과 들에 숨어들어 백성들을 치고 노략질하고 있다."

태수가 물었다.

"네가 장안 근처에서 여기까지 오는 게 어찌 반 달이나 늦게 되었느냐? 네가 술에 취해 공을 믿고 거만하게 굴어 관직이 작다 불평하면서, 고의로 늦은 게 아니냐!"

유비가 말했다.

"태수님께 아뢰옵니다. 3,500명과 함께 어린이와 함께 대략 1만2,000여 명이 모두 수레를 밀고 짐을 지고서, 여자들은 포대기를 지고, 남자는 수레를 끌어 노약자들이 있어 빨리 오지 못한 것입니다. 대인께서는 너그러이 용서하여 주시고, 아울러 식량을 청하옵니다."

태수가 화내며 다시 물었다.

"너는 어찌 군사들을 먼저 보내고 노약자들을 뒤따르게 했다는 말이냐, 그런 말은 집어치워라!"

그리고는 주변 사람들에게 늦게 온 이유를 말하라 명했다. 막 (유비를) 판결하려 할 때 주변 사람들이 원규에게 권했다.

"현위(縣尉, 유비)는 황건적을 친 공로가 있으니 곤장을 칠 죄를 면해 주시지요."

그러자 주변 사람들에게 관청 주변을 세 바퀴 끌고 다니게 했다. 주변 사람들이 관청을 두 번 돌자 태수가 꾸짖었다.

"현위, 그대는 그대의 관아로 가서 맡은 일을 하도록 하라!"

유비가 관아로 가서 관우, 장비와 장수들을 보고 관청에 앉아 있었는데, 장비가 현덕에게 물었다.

"형님께서는 무슨 번뇌(煩惱)가 있으십니까?"

유비가 말했다.

"지금 내가 현위(縣尉)라는 구품(九品)의 관작을 받았네. 관우, 장비 그대와 같은 장수들은 일전에 군대를 지휘해 황건적 500여만 명을 격파했지. 나는 관직을 받았지만 형제 두 명은 관직이 없으니 이 것이 번뇌가 되는구나."

장비가 말했다.

"형님의 말은 맞지 않습니다. 장안에서 정주까지 열흘이 걸렸지만 (그 때에는) 번뇌가 없었는데, 주 사람들을 만나고 나서 돌아오니 번뇌가 생겼잖습니까? 분명 주의 주인이 심하게 대해 좋지 않을 일 있었을 겁니다. 형님은 형제들에게 말씀해 주시지요!"

현덕은 아무 말도 하지 않았다. 장비는 현덕과 헤어지고 말했다.

"이를 알아보려면 그 이유를 가서 물어봐야겠군!"

그리고는 뒤뜰로 가서 친히 유비와 함께했던 두 명을 보고는 여러 번 물었지만 말하지 않았다. 장비는 묻고 나서는 화가 났다.

해가 저물고 2경(二更, 밤 9~11시)이 지나 손에는 뾰족한 칼을 들고 즉시 관아를 나가 담을 넘었다. 뒷 뜰의 꽃밭로 가니 부인(婦人) 한 명이 보였다. 장비가 부인에게 물었

다.

“태수는 어디서 자고 있느냐? 네가 말하지 않으면, 내 너를 죽여 버리겠다!”

부인은 전전긍긍(戰戰兢兢) 두려워하며 말했다.

“태수님은 후당(後堂) 안에서 주무십니다.”

“너는 태수와 무슨 관계냐?”

“저는 태수님의 집안일을 하는 사람입니다.”

장비가 말했다.

“그러면 나를 후당으로 데려가라.”

부인은 장비를 데리고 후당으로 갔다. 장비는 부인을 잡아 죽이고, 그 다음에 태수 원규(元嶠)도 죽였다. 이 때 등불 아래 부인(夫人)이 급히 외쳤다.

“살인자다!”

그러자 (장비는) 부인도 죽였다.

이에 관아 안에서 숙직 중이던 병졸들(兵卒)이 놀라 일어났는데, 대략 30여 명 정도였는데, 장비를 잡으러 왔다. 장비는 홀로 궁수(弓手) 20여 명을 죽이고 뒷 담을 뛰어넘어 나가 원래 관아로 돌아왔다.

다음날 새벽, 크고 작은 관리들은 관청의 현위를 찾아가 어떻게 살인범을 찾을지 논의하러 갔다. 유비는 직접 범인을 찾으려 했고, 즉시 조정에 이 일을 보고했다. 십상시가 말했다.

"태수를 살인한 자는 다른 사람이 아니라 여러 관직 중에서 현위 수하의 사람이 한 것이다."

조정에서는 독우(督郵, 감찰직 관리)에게 명을 내려 보냈는데, 성은 최(崔), 이름은 염(廉)으로, 어사대(御史台)에서 말을 달려 정주 앞의 관역(館驛, 관청의 여관) 안에 머물렀

다. 크고 작은 관리들을 불러 사자로서 명을 내려 무슨 일이 있는 지 물었는데, 독우가 말했다.

"이 곳의 태수가 살해되어, 이 때문에 내가 와서 너희 관리들에게 묻고 다니는 것인데, 너희 현위는 어디 있는가?"

"현위는 문 밖에서 감히 오지 못하고 있습니다."

사신으로 명을 내려 현위를 데려오게 했다.

현위는 병사 300여 명을 데리고 왔는데, 그 중에는 관우, 장비, 주변을 지키는 23명도 있었다.

사신이 물었다.

"네가 현위인가?"

유비가 말했다.

"그렇습니다."

사신이 말했다.

"태수를 죽인 게 그대인가?"

유비가 말했다.

"태수는 후당에 있었는데, 촛불이 밝게 켜져 있고 숙직하던 이들이 3~50명이 있으니, 태수와 20여 명을 죽이고 도망쳐, 이 때문에 저 유비가 알게 되었습니다. 어찌 저 유비가 죽였겠습니까."

독우가 화내며 말했다.

"그 전에 단규(段圭)가 너희 동생 장비에게 맞아서 큰 어금니 두 개가 부러져서 이 때문에 내가 왔다! 오늘은 황제의 뜻(聖旨)에 따라 내가 와서 네가 태수를 죽인 살인자를 묻는 것이다.

이전에 주로 오는 것에 대한 기한을 넘긴 것으로 죄를 처벌하려 했으나, 다른 관리들의 얼굴을 보아 너를 처벌하지 않았다. 그러한 일 때문에 (네가) 태수를 죽인 게 아니냐. 변명하지 마라!"

그리고는 주변 사람들에게 체포하게 했다. 곁에 있던 관우와 장비가 크게 화내며 각자 칼을 뽑고 달려가 관청 안으로 들어가 소리치자, 관리 무리들이 모두 달아났는데, 사신이 그들을 잡아 옷을 벗겼다.

장비는 유비를 관청 앞 의자위에 앉히고 (사신을) 말뚝에 단단히 동여맸다. 장비는 독우의 가슴팍을 채찍질하고 큰 몽둥이로 100번 때려 죽여, (시신을) 여섯 조각으로 나누고는, 머리는 북문에 걸고 팔다리는 사방의 모퉁이 위에 두었다. 유비, 관우, 장비는 장수와 군사들을 이끌고 태산(太山)으로 가 산적(落草)이 되었다.

조정에서는 이 소식을 접했는데, 그 날 황제가 조정에서 문무 백관들에게 물었다.

"지금 황건적이 격파되지도 않아 아직도 수가 많은데, 또 다시 유비가 반란을 일으켰으니, 이들이 하나로 합치면 어떡하겠는가?"

국구(國舅) 동성(董成)이 황제 앞에 가서 아뢰었다.

"황제 폐하 만세, 지금 유비는 반란을 일으킨 것이 아니고, 이는 전부 십상시 같은 관리 때문입니다. (그들은) 관직을 걸어 팔아 재물이나 보물이 있는 사람은 관직을 얻고, 공이 있는 사람은 상을 받지 못합니다. 폐하께서는 소신의 의견을 따르신다면, 유비는 반란을 일으키지 않을 것입니다."

황제가 말했다.

"어떡하면 유비를 위로할 수 있겠는가?"

"지금 십상시 등을 죽이고, 그들 일곱 명의 머리를 태항산(太行山)으로 보내면, 다시 그들 삼형제를 위로할 수 있을 것입니다."

황제 말했다.

"경이 아뢴 대로 하리다."

그리고는 물었다.

"누가 이 일로 적당하겠는가?"

동성이 아뢰어다.

"소신이 하겠사옵니다."

동성은 일곱 명의 목을 가지고 태항산으로 갔는데, 그 곳에서 표범 같은 군사들을 만났다. 동성과 군사들이 대화를 나누었다.

"나는 황제의 뜻을 가지고 위로하러 왔네. 너희들은 십상시(十常侍)[6] 등이 조정 안에서 재물을 탐하고 뇌물을 받아

---

6) 십상대(十常待)라 기록되어 있으니, 십상시(十常侍)의 오기로 보인다.

관직을 사고팔아 너희들이 그들을 죽인 것이다. 오늘 너희 형제들에게 이 목들을 주어 알게 하려 한다. 또한 너희들이 태수를 죽이고 독우를 채찍질한 죄 역시 모두 사면하도록 하겠다."

유비는 고개를 숙이고 엎드려 사면령(赦書)을 들었다. 유비는 은혜에 감사를 표하고 국구(國舅)를 따라 장안으로 가 황제에게 갔다. 황제는 기뻐하며 (유비에게) 상과 관직을 내리고 덕주(德州) 평원현(平原縣)의 현승(縣丞)으로 임명하고 좌우의 두 사람(관우, 장비)에게도 관직과 상을 내렸다.

이후에 황제가 세상을 떠나자(崩), 즉시 한헌제(漢獻帝)가 군주로 세워지자, 장안을 떠나 이전의 동쪽 도읍이었던 낙양(洛陽)으로 도읍을 옮겼다. 이 당시 왕윤(王允), 채옹(蔡邕), 정건양(丁建陽, 정원)이 재상으로 있었는데, 왕윤이 황제 앞으로 가 아뢰었다.

“서량부(西涼府)에서 소식이 들어왔는데, 황건적 장이(張李), 네 무리의 큰 도적들이 약 30여만 명을 모아 서량부(西涼府)를 점령했다 합니다.”

황제가 말했다.

“어찌해야겠는가?”

황제가 왕윤에게 물었다.

“누가 이를 감당할 수 있겠소?”

왕윤이 아뢰었다.

“동탁(董卓)을 원수(元帥)로 임명하시지요. 동탁은 만 명도 당해내지 못할(萬夫不當) 용맹이 있고, 신장은 8척 5촌, 살이 매우 찌고 배가 두텁고 크고, 왕처럼 토벌할 만하고, 전장에서는 무거운 갑옷을 입고도 빠르게 말을 달리고, 앉아있으면서도 제비 같기에, 원수가 될 만 합니다. 그의 수하들은 싸우는 장수들이 천명이고, 건장하고 용맹한 병사가

50여 만 명이 있습니다."

황제는 아뢰는 말을 듣고 동탁을 조정으로 불러 관직에 봉했는데, 태사(太師)와 천하도원수(天下都元帥)에 봉했다. 황제가 동탁에게 물었다.

"지금 서량부에 소식이 왔는데, 황건적 대략 30여만 명이 난을 일으켰다 하는데, 격파할 수 있겠는가?"

동탁이 아뢰었다.

"소신이 가보겠습니다."

(동탁이) 병사를 일으키려 하는데, 갑자기 성 안에 큰 함성이 들리고 성문이 닫혔다. (동탁은) 급히 병사 수천여 명을 거리 앞뒤에 두고 그물처럼 퍼지게 하자 병사들이 도착했다. 그 때 한 사람이 말을 타고 왔는데 그 모습이 사나운 호랑이같았고, 병사들을 흐트러뜨리고, 여러 명들을 죽였다. 그러자 (동탁이) 군사들과 장수들을 더 추가해 매우 많아져 그를 멈추게 했다. 태사(太師, 동탁)가 그에게 큰 소리를 쳤다.

"너는 누구냐!"

그 사람은 대답하지 않았는데, 백성들이 모두 높이 소리쳤다.

"저 사람은 한날의 정건양(丁建陽, 정원)의 집안 노비로, 정승상(丁丞相, 정원)을 죽이고, 정승상의 말을 타고 도망가려는 것입니다!"

군사들을 그를 포위했는데, 태사의 군사들이 많아 그를 잡아 결박하고 그를 관청 안으로 들어오게 했다. 동탁이 자리에 앉아 그를 맞아 잡은 자가 물었는데, (물은 사람은) 성은 심(甚), 이름은 수(誰)였다. 그가 말했다.

"저(某)는 성은 여(呂), 이름은 포(布), 자는 봉선(奉先)입니다."

"너는 어찌 길거리에서 창(戟)을 가지고 사람을 죽였는가?"

라고 물으려 하자 정건양의 집안사람이 나타나 말했다.

"이 놈은 별다른 이유 없이 정승상의 말 한필 때문에 정승상을 죽인 것입니다."

동탁이 물었다.

"저 말이 무슨 좋은 말이길래 그런가?"

그 집안 노비가 다시 말했다.(再覆)

"저 말은 범상치 않은데, 온 몸이에 위 아래로 피 같은 선홍색 얼룩이 있고 꼬리는 불같고, 이름은 적토마라 합니다. 승상(정원)께서는 빨갛기 때문에 적토마라 부르는 게 아니라 토끼에게 쏜 화살 같은 말(射兎馬)이라 한 것인데, 마른 땅에서 달릴 때에는 토끼처럼 보인다 했습니다. (말을) 쓰지 않을 때에는 걸어 다니기 때문에 이 때문에 적토마라 말한 것입니다.”

또 말했다.

“저 말은 강물을 만나면 평지에서처럼 물을 건너고, 물속에서는 풀을 먹지 않고 물고기나 자라를 먹습니다. 저 말은 하루에 천 리를 가고 800여 근(斤)을 짊어질 수 있으니, 정말 비범한 말이라 할 수 있습니다.”

말을 마치자 여포가 말했다.

“말 때문에 주공(主公)을 죽인 게 아닙니다.”

여포가 말했다.

“여러 차례 주공이 나를 모욕해 이 때문에 내가 정승상을 죽이게 된 것입니다.”

동탁이 여포를 보니 신장이 1장(丈)이고, 허리가 일곱 뼘(圍)이고, 혼자 100여 명을 죽이는 게 영웅과도 같아 지금 천하에 이런 인재가 없어 말했다.

“지금은 인재를 쓸 만한 때인데, 내가 네 죄를 면해주면 어떻겠느냐?”

여포가 말했다.

“진정으로 태사(太師, 동탁)께서 채찍을 드시면 등자가 되어 태사를 아버지로 모시겠습니다.”

태사는 매우 기뻐하며 여포를 놓아주었다.

그 날, 태사는 군사 50여 만명과 장수(戰將) 천 명, 왼쪽에 양자(義兒) 여포를 두었다. 여포는 적토마를 타고, 황금 갑옷을 입고, 머리에는 해치 모양 관(獬豸冠)을 쓰고, 길이 2장(丈二)의 방천극(方天戟)을 들었다. 그 위에는 노란 깃발과 표범 꼬리가 달려 있었고, 보병과 기병을 지휘하는 좌장군(左將軍)이 되었다.

(동탁의) 오른쪽에는 한나라 이광(李廣)의 후손 이숙(李肅)이 있었는데, 은색 투구를 쓰고 은색 사슬갑옷을 입고 흰색 전포를 걸치고, 1장 5척의 도수오구창(倒須悟鉤槍)을 들고, 활과 화살을 갖추었다. 글(文)을 쓸 때에는 대부(大夫)이유(李儒)가 있었고, 무력(武)을 쓸 때에는 여포(呂布),이숙(李肅)이 있어, 총 3명이 동탁을 보좌했다.

동탁은 군대를 이끌고 서량부로 가서 한 번의 북을 쳐서 이들을 거두고, 네 개의 큰 무리를 이끄는 장이(張李) 등의 대군 30여만 명을 달래고, 동쪽 도읍이었던 낙양으로 돌아갔다.

낙양으로부터 서북쪽으로 대략 20여리 떨어진 곳에 성을 하나 지었는데, 이를 미오성(郿塢城)이라 불렀다. 그리고는 장이(張李)의 군대를 주둔시키고 관직의 군량을(官糧)을 주었다. 동탁은 난을 일으켜 한나라의 천하를 가지려는 생각이 있었기에, 이유에게 물었다.

“지금 네 도적 무리가 서량부를 떠났는데, 누가 서량부를 맡으면 되겠는가?"

이유가 말했다.

"태사의 사위(女婿) 우신(牛信)이 가면 되겠습니다."

태사는 우신을 불러 10만 명의 군대로 서량부로 가게 해 그곳을 지키게 했다.

한편, 한헌제는 대궐 뒤에서 은밀히 조서를 내려 국구 동성을 불렀다..

동성이 도착하자 헌제가 뜻(聖旨)을 전했다.

"지금 동탁이 권력을 농단하는데, 어찌해야 좋겠는가?"

동성이 아뢰었다.

"저희 왕께서는 천하의 제후들에게, 저희 왕을 장안으로 데려가 도읍으로 삼으십시오. (그래서) 지금 천하의 제후들이 동탁을 제거하면 천하는 태평해질 것입니다."

황제가 물었다.

"누구에게 이 일을 할 수 있겠는가?"

"신의 수하 중에 한 명이 전고교위(典庫校尉)로 있는데, 그 자가 이 일을 하기 적당한데, 그는 담력이 있는 사람입니다. 만 약 그에게 큰 일을 맡기시려면 원수(元帥)로 임명하십시오."

이에 기주의 왕(冀王) 원소(袁紹), 진회왕(鎮淮王) 원술

(袁術), 그의 감군(監軍) 장사군왕(長沙郡王) 태수(太守) 손견(孫堅)에게 조서를 내렸다.

이에 한 사람이 폐하에게 도착해 만세를 외치자 황제가 물었다.

"경의 성과 이름은 무엇이오?"

"제(某) 성은 조(曹), 이름은 조(操), 자는 맹덕(孟德)입니다."

황제가 가를 바라보니 동탁 같은 이는 20명은 상대할만해 보여, 지금 천하가 어찌할 계책이 없어 이 사람을 쓸 만하다 여겼다.

헌제는 조조에게 상을 내리고 명했다.

"그대가 큰 일을 마치게 되면, 천하도원수(天下都元帥)로 삼고 그 뜻을 그대에게 맞기겠네. 경이 공을 세우면 경을 좌승상(左丞相)으로 임명하겠네."

조조는 황제에게 인사드리고 성을 나가 천하의 제후들을 만났는데, 정주(定州)에 와서 태수 공손찬을 만나려 했다. 길을 가던 중 마을이 가지런히 정리되고, 다리와 길이 고른 상태였는데, 사람들이 빽빽이 많고, 말과 소가 번성하고, 황무지가 전혀 없고, 밭과 벼가 많았다. 조조가 한 농부에게 물었다.

"이 곳은 어디요?"

농부가 말했다.

"관리님께 고합니다. 이 곳은 덕주(德州) 평원현(平原縣)의 경계입니다."

조조가 놀라 농부에게 물었다.

"이 현을 담당하는 관리는 어디 있소?"

농부가 말했다.

"현령께서는 관청에서 일하지 않고, 다만 현승께서만 일하십니다."

현승이 누구인지 묻자 농부가 말했다.

"그 분은 예전에 황건적을 무찌른 유비십니다."

조조가 크게 놀랐다.

"천하의 제후들이 모여 동탁을 베어버릴 이야 여기에 있구나!"

조조는 30여 기마병을 데리고 현의 관청 문 밖에 와서 주변 사람들에게 현덕에게 알리라 하자, 문지기(門吏)가 말했다.

“지금 한나라 천자께서 보내신 분이 문 밖에 계시니, 현의 관리는 불같이 나와 명을 받드십시오!”

관리들이 령을 듣고 관아 안에 있다가 조조를 맞이해 앉히고 세 번 절해 예의를 갖추고는 각자 자리에서 연회를 열었다. 술이 몇 차례 오가자 조조가 말했다.

“나는 황제폐하의 뜻(聖旨)을 따라 천하의 28명의 제후들을 소집했소. 지금 동탁이 권세를 농단하고, 한나라 천하의 마음을 얻으려 해, 제후들을 모아 천하를 안정시키고 동탁을 격파하려 하오. 그러나 여포, 이숙은 각각 만 명이 당해내지 못할 용맹이 있어 당해낼 자가 없소.

이에 창주(滄州) 홍해군(洪海郡)의 한보(韓甫)를 부르고,

평원현(平原縣)을 지나던 중 현덕공(玄德公, 유비)이 있다는 걸 들어 특별히 와서 만나니 현덕공은 사양 마시게.

한나라의 천하를 위해 현덕공이 호로관(虎牢關)으로 가서 동탁, 여포를 격파하면, 나 조조가 현덕공을 만 가구를 다스릴 제후로 봉하고 조정 안으로 가 재상(相)이 되도록 하겠네.”

조조는 잔을 들고 유비에게 권하자 유비가 말했다.

“저 같은 하찮은 관리(小官)는 무예가 부족하고 활쏘기와 말 타기가 미숙해 나라의 일을 그르칠까 두렵습니다.”

옆에 있던 장비가 말했다.

“형님, 우리가 도원결의(桃園結義)를 마치고서 황건을 격파하고 이름을 날리려 했었소. 지금 국가가 우리 같은 사람을 쓰고 하는데, 여러 제후들이 호로관으로 향해 동탁, 여포와 교전해 황제폐하의 넓은 복을 받아 동탁, 여포를 죽

여, 능연각(凌煙閣) 위에 이름을 새기시지요. 평원현에 있는 것보다 재상(宰)이 되고, 허리띠를 차고, 금색 옷과 자줏빛 인수를 얻고, 자식과 아내가 봉해지는 게 훨씬 좋지 않겠습니까? 형님께서 안 가신다면 작은 동생 저 장비가 가겠습니다."

조조가 이 말에 응해 감사를 표했다. 연회를 마치고 조조가 두세 번 부탁했다.

"장장군(張將軍, 장비)이 가기로 했으니, 늦을 것 같으면 사자를 보내 세 명을 청하겠소."

조조는 작별하고는 길에 올랐다.

현덕은 집으로 돌아와 두 동생과 이에 대해 이야기했다.

"거기로 갔을 때 그 사람들이 혹시 우리를 쓰지 않으면, 우리는 어디로 가야겠느냐?"

장비가 말했다.

“형님들은 마음을 놓으시오. 나 혼자 동탁을 쳐부수고 여포도 죽여 버리겠소.”

현덕이 말했다.

“나중에 사자가 오면 그 때 가자꾸나.”

한편, 헌제는 낙양에 있었지만, 나약한 군주였다. 태사 동탁은 권력을 농단했는데, 몸무게가 300근이고, 나라를 빼앗을 마음을 가지고, 칼을 차고 궁궐에 올라, 문무백관들이 모두 두려워했다. 그는 수하인 양자 여포, 흰 도포를 입은 이숙, 네 도적(四盜寇), 여덟 명의 건장한 장수(八健將)에 의지해, 항상 천하의 제후들을 업신여기고 억압했다.

한편, 초군(譙郡)태수 조조는 다시 조회에서 황제를 알현했다. (조조는) 동탁의 권세가 사람들을 업신여기고 넘보는 것을 보고 분노의 심정을 가라앉혔다.

조회가 끝나고 조조는 황제를 알현해 몰래 돌아다니며 밀조를 전하고, 천하의 제후들이 호로관으로 모여 모두 동탁을 치려는 것을 상의했다.

조서에 따라 대략 중평 5년(中平, 188) 3월 3일에 모두 호로관 앞에 모이기로 했다. 그리고는 즉시 조서를 여러 곳에 있는 천하의 제후들에게 보내 (호로)관 앞에 빠르게 모이도록 했다.

장사(長沙, 손견)의 자제들이 가장 먼저 도착했는데, 장사태수 손견이 먼저 관 앞으로 갔다. 청주(青州)의 원담(袁譚)은 오지 않았다. 천하의 군사들과 말들이 관 앞에 왔지만 군량이 적어, 조조는 이에 청주의 원담에게 군량을 가져오라고 독촉했다.

며칠 뒤, (조조는) 평원현에 와서 현덕에게 예를 갖추고 말했다.

"제후들이 모두 호로관에 도착했는데, 세 장군은 어찌하겠소?"

현덕이 말하지 않자, 장비가 말했다.

"한나라 천하에 주인이 없으니, 역적 신하인 태사를 죽이고 한나라 황실을 다시 도와야 합니다."

선주(先主, 유비)가 이를 허락하자 조조가 말했다.

"기주의 왕(冀王) 원소(袁紹)를 원수로 삼았으니, 세 장군은 원소에게 이 편지를 전해 주시오."

승상(丞相, 조조)은 즉시 편지를 써 선주에게 주고, 조공(曹公, 조조)는 작별한 뒤 청주로 갔다.

한편, 관우, 장비, 유비, 세 명은 수하에 있는 3천명의 잡호기(雜虎騎)를 데리고 좋은 날을 정해 길을 떠나 서남쪽으로 길에 올랐다.

며칠이 지나 호로관에 도착해 큰 길에서 5~7리 떨어진 곳에 진을 쳤다. 다음날, 세 사람은 옷(衣裝)을 정리하고 원수가 있는 곳으로 가기 위해 원문(轅門)으로 갔다. 한편, 기주의 왕 원소는 제후들과 장막에 모여 물었다.

"지금 한 황실에 주인이 없고, 역적 신하가 권세를 농단하고, 헌제는 낙양에 있지만 군주로서는 나약하오. 동탁은 호로관에 있으면서 백 명의 명장들이 있는데, 이 중 우두머리 되는 자가 온후(溫侯) 여포(呂布)로 신장은 9척 2촌에 방천극(方天乾)을 다루고 감당할 만한 사람이 없다 하오. 여러분 제후들 중에 역적 신하를 죽일 계책이 있다면 조정에서 보답할 텐데, 누가 그 이름을 남기겠소?"

관리들은 아무 말이 없었다. 홀연히 목책 밖에서 시끄러운 소리가 들렸는데, 문지기가 보고했다.

"원문(轅門) 밖에 세 장군이 뵈려 합니다."

기주의 왕(원소)이 속히 들라 하자 관리들이 모두 한 장수를 보았다. 그는 얼굴이 보름달 같고, 귀는 어깨에 닿고, 양손은 무릎에 닿고, 용의 콧대와 용의 얼굴을 가졌는데, 이는 제왕의 모습이었다.그의 왼쪽 수하 장수는 신장이 9척 2촌으로 포주(蒲州) 해랑(解良) 사람으로 성은 관, 이름은 우, 자는 운장이었다. 그의 오른쪽 수하 장수는 유주(幽州) 탁군(涿郡) 사람으로 성은 장, 이름은 비, 자은 익덕으로, 표범의 머리와 고리 눈, 제비 턱과 호랑이 수염을 가지고 있었다. 기주의 왕이 물었다.

"세 장군은 누구시오."

선주(先主, 유비)가 말했다.

“무능한(無能) 저는 유주(幽州) 탁군(涿郡) 대상촌(大桑村) 사람으로, 성은 유, 이름은 비, 지금은 평원 현령직을 보고 있습니다.”

기주의 왕이 말했다.

“녹색 전포에 회화나무 판을 가진 분 말이오?”

선주가 말했다.

“그렇습니다. 초군태수(조조)가 길을 지나며 그 글을 주셔서 예를 드리고 관 앞에 와서 함께 동탁을 격파하고자 합니다.”

기주의 왕이 매우 기뻐했다.

선주가 원소에게 글을 주자, 원소가 글을 읽은 뒤 제후들에게 물었다.

“이 일을 어찌하면 좋겠소?”

장막에 있던 한 장수가 위엄을 떨치며 외쳤다.

“제후들이 모두 호로관 아래에 모였으니, 서둘러(克日) 역적 동탁, 여포를 베어버립시다!”

관리 중에 있던 그 사람은 장사태수 손견이었다. 송문거(宋文擧)가 말했다.

“관 앞에서 동탁을 베는데, 녹색 옷 젊은이를 뭐 하러 쓰겠소!”

이를 들은 관리들이 모두 웃었지만, 기주의 왕은 말을 하지 않자, 관리들도 모두 말이 없어졌다. 세 장수는 기주의 왕에게 말을 마치고 진영을 나와 동북쪽 5~7리(五七里)[7]에 진영을 차렸다. 장비가 말했다.

“평원에 있었으면 다른 사람들 때문에 고생 했겠습니까!”

다음날 아침 다시 원소를 보러 갔지만 관리들은 여전히 좋아하지 않자, 세 장수는 다시 돌아와 다음날 평원으로 돌아가다가, 대략 몇 리를 가자 조조와 만나서 그들이 겪은 일을 이야기하자 조조가 웃으며 말했다.

“나를 따라 돌아갑시다! 역적 신하를 치러 와서 큰 공을 세운다면 어찌 관직을 얻지 못하겠소?”

다음날 군대를 돌려오자 원소가 크게 기뻐했다. 이틀 뒤 조조가 진영 내에서 말했다.

“소하(蕭何)는 한신(韓信)을 세 번 천거하자 한나라는 400여 년간 흥했습니다.”

기주의 왕이 연회를 열어 조승상(丞相同, 조조)과 제후들을 초청했다. 연회 중에 어떤 이가 보고했다.

---

7) 오칠리(五七里)를 35리(5×7리) 해석할 여지도 있다.

"호로관에서 온후 여포가 싸움을 걸어왔습니다."

기주의 왕이 물었다.

"누가 여포와 결전을 치를 수 있겠소?"

말이 끝나기 전에 한 장수가 나왔는데, 그는 서주(徐州) 태수 도겸(陶謙)의 부하 보병대장 조표(曹豹)였는데, 그가 말했다.

"제가 여포와 싸워 여포를 잡아 오겠습니다!"

모두가 웃었다.

말을 타고 진을 쳤고, 여포는 조표와 싸웠다. 한 시진(時辰)이 지나 (그가) 당하고 군대가 패해 돌아왔는데, 온후(溫侯, 여포)의 1합에 조표가 잡혔다는 것이었다. 기주의 왕은 크게 놀랐는데, 다시 누군가가 말했다.

"(여포가) 놓아주어 조표가 돌아왔습니다!"

조표는 진영으로 돌아왔는데, 여러 관리들이 여포를 당해낼 수 없고, 여포가 18진영의 제후들을 잡아갈 거라 말했다. 관리들은 근심하지 않은 이가 없었다. 다음날 아침, 정찰병(探事人)이 보고했다.

"여포가 3만의 군대를 이끌고 호로관 아래에서 싸움을 걸고 있습니다."

기주의 왕이 관리들에게 물었다.

"누가 온후와 결전을 치르겠소?"

말이 끝나기 전에, 장사태수 손견이 군대를 이끌고 말을 타고 나와 여포와 대치했다. 그러나 3합도 겨루지 않고 손견은 대패하고 여포는 (손견을) 큰 숲으로 추격했다. 여포는 손견에게 화살을 쏘자 손견은 매미가 허물을 벋는 계책을 썼는데, 손견은 전포와 갑옷을 벗어 나무 위에 매달아두고 도망쳤다.

여포는 손견의 투구와 전포를 가지고 굳센 장수(健將) 양봉(楊奉)에게 호로관 위로 보내 태사 동탁에게 가져가라 했다. (양봉은) 가던 길에 장비를 길에서 만나 투구와 전포를 빼앗겼다.

날이 밝자, 장비는 원소의 진영에 가서 원문(轅門)에서 말에서 내려 먼저 선주(先主, 유비), 관공(關公, 관우)을 만났다. 현덕이 말했다.

"손견은 우리를 고양이나 개 같은 무리이고, 밥이나 빌어먹는 옷을 입었다 했다."

선주가 말했다.

"그는 장사태수이고, 나는 초록옷 입은 관리(綠衣郎)일 뿐인데, 어찌 그와 다투겠나?"

장비가 웃으며 외쳤다.

"대장부라면 죽고 사는 건 신경쓰지 않고 후세에 이름을 남겨야 되지 않겠소!"

선주와 관공이 말리려 했지만 장비는 곧바로 기주의 왕의 장막 앞으로 갔다. 장비는 투구와 전포, 갑옷을 기주의 왕에게 주자, 태수 손견과 관리들은 아무 말도 하지 못했다. (장비가) 큰 종과 같은 목소리로 말했다.

"이 앞의 태수가 우리들을 고양이나 개 같은 무리라 했다는데, 여포가 관 아래로 왔을 때 태수는 전포를 버리고 도망치지 않았소!"

손견은 이를 듣고 크게 화내며 장비를 베려 하자, 제후들이 모두 일어났다. 기주의 왕 원소, 형주의 왕(荊王) 유표(劉表), 초군의 조조가 말했다.

"여포의 형세는 막을 수 없는데, 장비를 배면 동탁을 누가 격파하겠습니까?"

손견이 말을 하지 않자 장비가 말했다. "여포가 관 아래로 오면 저희 형제 세 명이서 반드시 그 종놈(家奴)을 죽이겠습니다!"

관리들이 모두 좋아하자, 장비는 위기를 벗어날 수 있었다. 셋째 날, 여포가 다시 싸움을 걸어오자, 제후들이 진영을 나가 여포(品布)[8]와 대치했다. 장비는 말을 달려 나가 여포와 20합을 겨루었지만, 승패가 결정되지 않았다. 관공

---

8) 품포(品布)라 기록되어 있지만, 여포(呂布)의 오기로 보인다.

(關公, 관우)이 분노해 말을 몰고 칼을 휘두르며 두 장수가 여포와 싸웠다. 선주(先主, 유비)가 참지 못하고 쌍고검(雙股劍)을 가지고 합류해 세 기(三騎)가 여포와 싸웠는데, 여포가 대패해 서북쪽으로 도망쳐 호로관 위로 갔다. 다음날, 여포가 관 아래로 와서 외쳤다.

"눈 큰 놈아, 말을 타고 나와라!"

장비가 크게 화내며 말을 타고 나갔는데, 손에는 장팔신모(丈八神矛)를 잡고, 두 눈동자를 동그랗게 뜨고, 곧바로 여포를 잡으러 나갔다. 두 말이 만나 30여 합을 겨루었지만 승패가 나뉘지 않았다.

장비는 평생 싸워 죽이는 걸 좋아해 훌륭한 적을 만나 다시 30합을 싸워 죽이려 들자, 여포는 깃발로 얼굴을 가리고 도망쳤다. 장비는 신(神)과 같았기에 여포는 겁먹고 말에서 내려 관 위에서 문을 닫고 나오지 않았다. 여포는 네 도적들(四盜寇)에게 그 관을 굳게 지키라 했다. 그 네 명이

란, 이각(李傕), 곽사(郭汜), 장제(張濟), 번조(樊稠)이다.

한편, 동태사(董太師, 동탁)는 낙양에서 황제를 데리고 서쪽의 장안으로 들어갔다. 황제는 만안전(萬安殿)에 앉아 태사(동탁)에게 연회를 열도록 했는데, 저녁이 되자 황제는 술에 취해 후궁으로 들어갔다. 동탁이 네 명의 완비를 보고 희롱하는 말을 하자, 재상(宰相) 왕윤(王允)은 분노한 마음을 감추고 은밀하게 말했다.

"천하에 주인이 없구나."

왕윤은 집에 도착해 말에서 내려 걸어서 뒷 화원(花園) 안으로 가 작은 뜰에서 앉아 답답해하고는, 홀로 말했다.

"헌제는 나약하고 동탁은 권세를 농단하니 천하가 위태롭구나."

홀연히 한 부인(婦人)이 향을 피우고는 혼자서 말했다.

"고향으로 돌아갈 수 없어 가족들과 만나볼 수 없구나."

그리고는 향을 피우고 절을 두 번 절했다. 왕윤이 홀로 말했다.

"나는 나라 일을 걱정하는데, 저 부인은 무엇을 저리 빌고 있는가?"

왕윤은 뜰에서 나와 물었다.

"너는 왜 향을 태우고 있느냐? 내게 이야기 해 보거라."

자신을 부르자 초선(貂蟬)은 급히 꿇어앉아 감히 숨기지 않고 왜 그랬는지 이야기했다.

"이 첩(賤妾)은 원래 성은 임(任)이고, 소자(小字)는 초선(貂蟬)입니다. 제 가족(家長)은 여포(呂布)인데, 임조부(臨洮府)에서 잃어버려 지금까지 다시 만나지 못해 이 때문에 향을 피운 것입니다."

승상(丞相, 왕윤)이 크게 기뻐했다.

"한나라 천하를 편안히 할 사람은 바로 이 부인이구나!"

승상은 집으로 돌아와 초선에게 외쳤다.

"내가 너를 친 딸처럼 대하겠네."

그리고는 곧바로 금, 진주, 비단 한 필을 초선에게 주고는 보냈다.

며칠 뒤 승상은 태사 동탁을 초청해 연회를 열었다. 해가 저물고 태사(동탁)가 취했는데, 촛불은 빛나고 있었다.

왕윤은 수십 명의 아름다운 부인들에게 명을 내리고 초선을 불러들였는데, 상투에 푸른 옥을 꽂고 짧은 금비녀를 하고 있었고, 금색으로 수놓은 진홍색 명주 옷을 입고 있었는데, 감해 나라의 요새들을 기울일 만한 모습 이었다. 동탁이 크게 놀라 보고는 말했다.

"우리 집에는 그대만한 부인이 없네!"

왕윤이 노래를 시키자 태사가 크게 기뻐했는데, 왕윤이 말했다.

"그녀는 관서(關西) 임조(臨洮) 사람으로 성은 임, 소자는 초선이라 합니다."

태사가 깊이 관심을 보이자 태사가 허락했는데, 연회가 끝나고 태사는 자리에서 일어났다. 다음날 새벽이 되자 재상(宰相, 왕윤)이 홀로 생각했다.

'내가 군주의 녹을 먹으며 재상으로 있는데, 지금이 바로 계책을 정해 한나라 황실을 평안히 할 때이구나.

내가 성공하지 못해 죽는다 해도 이름을 남길 것이다.'

그리고는 곧바로 여포를 초청해 연회를 열었는데, 연회가 늦게까지 이어이자 승상은 다시 초선을 불러 노래를 부르게 했다. 여포가 이를 보고 생각했다.

'옛날에 정건양(丁建陽, 정원)이 임조(臨洮)에서 난을 일으켰을 때, 내 아내 초선이 어딨는지 알지 못했는데, 오늘

찾았구나!'

왕윤이 술잔을 들고 말했다.

"온후(溫侯, 여포)의 얼굴에 근심이 있어 보이는데, 그 뜻을 모르겠구려."

여포가 이에 대해 이야기하자 승상이 크게 기뻐했다.

"한나라 천하에 이제 주인이 있겠습니다!"

승상이 다시 말했다.

"그녀가 온후의 아내라는 걸 몰랐는데, 천하의 기쁜 일이군요. 남편과 아내가 다시 화합하면 좋지 않겠습니까."

여포가 크게 기뻐했고, 밤이 늦어 연회가 끝났다. 5~7일(또는 35일, 五七日)이 지나 시녀들과 함께 사륜마차(駟馬)를 타고 초선을 태사(동탁)의 집 안으로 보냈다. 중평 7년(中平, 190) 봄 3월 3일, 태사는 조용히 앉아 있었는데, 사

람이 와서 알렸다.

"승상 왕윤이 사륜마차를 보냈는데, 누구를 보냈는지는 모르겠습니다."

태사가 급히 나가 왕윤을 맞이해 말했다.

"혹시 초선이 아니오?"

왕윤이 말했다.

"그렇습니다."

태사가 사람을 시켜 술자리를 마련하자 왕윤이 말했다.

"제가 지금 작은 병이 있어 오래 있을 수 없습니다."

그렇게 말하고는 태사를 떠났다. 그날 밤 날이 저물고 동탁과 초선은 술을 마셨다. 동탁은 술과 여자를 좋아하는 사람이었다.

이틀 뒤에 여포는 곡강(曲江)에서 돌아와 집으로 와서

말에 내렸고, 여덟 명의 건장한 장수들(八健將)은 모두 돌아갔었다. 그날 밤 날이 저물고 온후(溫侯, 여포)는 집 안에 음악 소리가 밝게 울리는 것을 듣고 주변 사람들에게 무엇인지 묻자, 사람들이 이야기했다.

"승상(丞相, 왕윤)이 데려온 부인인 초선입니다!"

여포가 크게 놀라 사랑방 아래로 갔지만 볼 수 없었는데, 그 때 초선이 옷을 여미고(推衣) 나오는 게 보이자 여포는 크게 화냈다.

"그 역적(逆賊)은 어디 있느냐?"

초선이 말했다.

"취해 있습니다."

여포는 검을 가지고 사랑채로 들어가니 동탁이 코를 천둥같이 굴며 누워 있어 고기 산 같았는데, 그를 보고 꾸짖었다.

"늙은 도적놈이 도리를 모르는구나!"

그리고는 한 칼에 목을 끊어버렸는데, 선혈이 솟아올라 흘렀다. 그렇게 동탁이 죽은 것이다.

여포는 급히 집에서 나와 빠르게 달려 승상(丞相, 왕윤)의 집 안으로 갔다. 왕윤이 무슨 일인지 묻자 여포가 이에 대해 이야기하자, 승상은 크게 기뻐하며 말했다.

"온후(溫侯, 여포)께서는 세상의 훌륭한 사람인데, 동탁을 죽이지 않았다면 한나라 천하는 달걀을 쌓은 것처럼 위태로웠을 겁니다!"

이야기를 하던 중 문지기가 알렸다.

"밖에 이숙이 검을 들고 와서 여포를 찾고 있습니다."

승상은 불같이 집을 나와 이숙을 보았는데, 그가 와서 말했다.

"여포가 태사를 죽였는데, 내가 그를 보면 그를 죽여 산산조각 내 버리겠다!"

왕윤이 말했다.

"장군이 잘못 생각한 것이오. 지금까지 한나라의 천하가 400여 년이 되었는데, 그대의 조상 이광(李廣)은 한나라 황실을 도와왔소. 오늘날 동탁이 권세를 농단해 여포가 그를 제거한 것인데, 그대가 여포를 죽이면 천하에 이름을 욕보이는 것이니, 윗 선조(이광)와 같은 부류라 할 수 없을 것이오. 어둠을 제거하고 밝은 것을 세우는 것은 대장부로서 당연한 일이오."

이숙은 검을 던지고 손을 모아 말했다.

"승상의 말씀이 맞으니 온후와 말해 보아야겠습니다."

두 사람이 만나자 여포는 동탁의 무도한 짓을 말했는데, 이숙이 크게 화냈다.

"나는 그런 일이 있는지 몰랐습니다!"

여포는 왕윤과 이야기한 뒤 집안으로 돌아갔는데, 문지기가 알렸다.

"황실(殿前) 태위(太尉) 오자란(吳子蘭)이 병사 1만 명을 데리고 와서 집을 포위했습니다!"

여포가 생각했다.

'장안은 오래 있을 만한 곳이 아니구나!'

그리고는 건장한 여덟 장수들(八健將)과 3만의 군대를 데리고 동문으로 탈출하자, 태위 오자란이 쫓아갔다. 앞에 만 명의 군대가 막아섰는데, 이들은 죽은 동탁의 네 원수였던 이각(李傕), 곽사(郭汜), 장제(樊稠), 번조(張濟) 등으로 집안 노비(家奴, 여포)를 꾸짖었다. 이에 대답하지 않고 온후는 진영을 돌파했다.

그리고 동관(潼關)에 도착하자 초군태수 조조가 막아서자 양 군이 서로 부딪치자, 여포는 관을 탈출했다. 동쪽으로 몇 리를 가자 앞에 수양(睢陽)태수 곽잠(郭潛)이 말했다.

"온후는 성 안으로 오지 마시오. 금과 진주를 드리겠소!"

그러자 여포는 동북쪽으로 나아갔다. 며칠이 지나 특별한 뽕나무와 삼 밭에 도착했는데, 여포가 물었다.

"이 곳은 어느 지역인가?"

어떤 사람이 대답했다.

"이 곳은 서주(徐州) 땅입니다."

여포가 물었다.

"서주 태수는 어떤 사람이오?"

그가 말했다.

"노장 도겸(陶謙)이었는데, 죽을 때가 되자 (유비가) 세 번 서주를 사양하고 현덕에게 가게 되었습니다.”

여포가 생각했다.

‘관우, 장비, 유비는 모두 호랑이 같은 장수인데.’

온후가 아무 말도 하지 않자 진궁(陳宮)이 다시 말했다.

“유비는 인덕(仁德)이 있는 사람이니 온후께서 현덕에게 편지를 보내는 게 어떻습니까.”

여포가 즉시 편지를 써서 서주로 보내 현덕에게 보였고, 현덕은 진궁을 맞이해 앉혔다. 진궁이 편지를 유비에게 주었는데, 그 편지의 내용은 다음과 같았다.

“저 동생 여포는 머리를 조아리고 절하며 서주목 현덕공 장군 휘하에 있길 바랍니다. 지금 맹하(孟夏, 4월)에 날은 맑고 화창하고, 매실은 푸르러지기 시작해, 엎드려 편지를 쓰는데, 그간 안녕하시고 잘 계셨는지요. 호랑이 같은 장막에서 멀리 다스리시는데, 당신을 신명(神明)으로 모시고 돕고 싶습니다.

이전에 호로관에서 싸웠던 것은 저 여포의 죄가 아니라 모두 동탁의 과오(過)입니다. 저는 제가 지은 죄를 알고 그 뜻을 생각했습니다. 원래는 직접 찾아뵈어 작게나마 지난날의 과오를 갚아야 했지만, 장안에서 온 뒤로 사람과 말이 피곤해(人困馬乏) 앞으로 나아가지 못했습니다.

제 잘못을 용서하고 꾸짖으시는 게 얼마나 다행인지 모

르겠습니다. 이제야 만나게 되어 훌륭한 얼굴을 뵙게 되옵니다. 드릴 말씀은 많으나 다 쓰지 못합니다."

현덕은 편지를 읽고 매우 기뻐하며 진궁에게 술과 음식을 대접했고, 진궁을 인사를 드리고 떠났다. 그러자 한 장수가 현덕에게 말했는데, 그는 간헌화(簡獻和, 간옹)로, 아뢰었다.

"주공께서는 임조(臨洮)의 정건양(丁建陽, 정원) 태수에 대해 듣지 못하셨습니까? 여포는 그를 아버지로 모시다 적토마 때문에 정건양을 죽였습니다.

그 전에 장안에서는 초선 때문에 동탁을 베어버렸습니다. 관우, 장비, 두 장군이 성 안에 없는데, 만약 여포가 마음이 변해 이 서주를 차지하려 하면 어떻게 하시겠습니까?"

선주(先主, 유비)가 말했다.

"여포가 비록 자비롭지는 않지만 지금은 어금니와 발톱이 없다. 또한 편지를 통해 애원하는 걸 보니 성 안에 살도록 권하겠다."

관리들은 여포가 살게 하면 안 된다고 권했다.

다음날 아침, 선주는 북과 음악으로 여포를 성 안으로 맞이해 큰 연회를 며칠간 열었다. 현덕을 여포를 형으로 칭하며 절하자 관리들이 까무러칠 뻔 했다. 간헌화는 어리둥절해하며 심복(心腹)에게 시켜 몰래 관우와 장비를 성 안으

로 오게 했다.

다음날 아침, 현덕은 두 동생과 여포를 만나게 했다. 며칠이 지나 여포가 관리들에게 물었다.

“내가 서쪽의 동관에서 나왔지만 바늘 세울 만한 땅도 없구나.”

진궁이 말했다.

“온후께서는 하늘에서 아홉 주를 나누었는데, 서주는 훌륭한 군(上郡)으로 왕을 세울만한 땅이라는 것을 듣지 못하셨습니까. 만약 서주를 얻는다면 지금이라도 천하를 바꿀 수 있을 것입니다.”

여포가 웃으며 말했다.

“내가 서주를 도모할 뜻이 있어도, 현덕과 나는 매우 두터운 관계네. 또한 관우, 장비, 두 장수는 호랑이와 늑대(虎狼) 같은 장수로 내가 상대할 만한 이들이 아닌데 내가 어

찌할 수 있겠소?”

며칠 뒤에 여포와 현덕이 함께 앉아서 이야기했는데, 선주가 말했다.

“봉선(奉先, 여포)께서는 아직 계실 곳이 없는데, 저희 형제들의 보잘 것 없는 생각으로는 서북쪽 80리에 소패(小沛)라는 곳이 있는데, 그 곳에서 군사들을 주둔시키고 정예병을 양성하시는 게 어떻겠습니까?”

여포는 매우 기뻐하며, 그날 선주에게 인사하고 자신의 군사들을 이끌고 소패로 갔다.

반년 쯤 지나 어떤 사람이 선주에게 보고했다.

“남서쪽 100리에 있는 땅인 수춘(壽春)에 원술(袁術)이 있는데, 태자 원양(袁襄)에게 병사를 주어 서주를 차지하려 합니다.”

선주는 즉시 장비에게 그들을 맞아 남쪽으로 가서 남쪽

에서 원양에게 맞이하게 했다. 대략 30리의 땅에 석정(石亭)이라는 마을(亭)에 석정역(石亭驛)이라는 여관이 있었는데 원양과 만났다. 두 사람은 예로 인사를 하고 장비가 술 세잔을 대접했다. 술을 마시자 원양이 서주에 대해 이야기했는데, 장비가 이를 듣지 않자 꾸짖었다.

"현덕은 돗자리나 짜고 신발이나 엮는 촌뜨기네!"

장비가 크게 화내며 꾸짖었다.

"우리 형님의 조상은 제왕의 아들이고, 한경제(漢景帝)의 17대손이고, 중산정왕(中山靖王)의 후손이오. 너 같은 놈이 돗자리나 짜고 신발이나 엮는 촌뜨기라 하다니, 네가 감히 우리 형님을 헐뜯느냐. 너희 조상도 밭일이나 하던 놈일 뿐이다!"

장비가 즉시 돌아가자 원양은 곧바로 때리려 했지만, 장비가 원양을 잡아 손으로 들어 올려 석정 위에 던져버렸다. 주변의 관리들이 그러지 말라 했지만 결국 원양을 내던져 죽여 버렸다. 원양을 가까이 모시던 사람이 모두 돌아와 며칠이 지나지 않아 원술에게 알렸다. 원술이 울며 말했다.

"장비 이놈을 가만두지 않겠다!"

그리고는 즉시 대장 기령(紀靈)에게 3만 명의 군사로 서주를 공격하게 했다. 선주는 장비를 서주에 두어 지키게 하고, 선주, 관공은 함께 관리 등과 함께 남쪽으로 가 기령을 맞이했는데, 한달 정도 지나도 돌아오지 않았다.

한편, 장비는 술을 마시며 인사불성 상태로 일을 보지 않았다. 그의 주변의 관리였던 조표(曹豹)가 깔보며 말했다.

"도겸은 죽을 때 어째서 서주를 자신들에게 나누어주지 않고 유비에게 주었는가! 유비는 남쪽의 기령을 만나 싸움이 끝나지 않았는데, 이런 놈한테 서주를 맡겼는가!"

백성들은 모두 원망하자 조표는 장비에게 정치를 돌보라 권했지만 장비가 듣지 않자 또 장비를 꾸짖었다. 장비가 크게 화내며 말했다.

"나는 동생으로 국가를 위해 힘쓰고 있다. 우리 형께서 이 서주를 얻으셨으니 일단 내가 맡는 게 당연하지."

그리고는 조표를 채찍으로 때렸다. 조표는 동쪽의 집으로 도망가 계책을 하나 생각해 내고는 원통함을 갚으려 했다. 그는 사위 장본(張本)에게 편지를 가지고 소패에 가서 여포를 찾아가 술과 음식을 대접하고 또한 금과 진주를 주었다. 장본이 돌아가자 여포가 관리들에게 물었다.

"어떻게 하면 좋겠소?"

진궁이 말했다.

"현덕은 남쪽에서 기령을 맞이하고 있고, 장비는 매일 술을 먹습니다."

온후(溫侯, 여포)는 군대를 이끌고 서주로 갔는데, 순식간에 조표가 서문을 열어주었다. 여포가 성으로 들어갔을 때, 장비는 크게 취해 있었는데 누군가가 알렸다.

"부인께서 오셨습니다."

이는 현덕의 아내였다.

부인이 말했다.

"작은 도련님, 형님이 남쪽에서 기령과 싸우고 승부를 아직 모르는 상황입니다. 당신은 매일 수을 마시고 있는데, 그러다 서주를 잃으면 어떻게 하려 합니까?"

장비가 말했다.

"누가 감히 서주를 엿보겠소!"

말이 끝나기도 전에 홀연히 진지의 함성이 들렸는데, 어떤 이가 장비에게 와서 말했다.

"조표가 여포를 끌어들여 성 안에 쳐들어왔습니다!"

장비는 크게 놀라고 부인은 하늘을 쳐다보며 울었다. 장비는 말에 올라 여포와 싸웠는데, 싸움은 늦게까지 이어졌고 장비는 문으로 탈출했다. 200리를 가서 선주를 만나 이에 대해 이야기했다. 관공은 장비에게 크게 화냈다. 선주는 다음날 군사들을 거느리고 돌아와 서주에서 약 20리 떨어진 곳에 진을 쳤는데, 현덕이 또 말했다.

"내 아내와 자식들은 분명 여포에게 살해당할 텐데, 여포에게 편지를 써서 가족들을 보호해야겠구나."

그리고는 즉시 편지를 써서 간헌화(簡獻和, 간옹)에게 성 안으로 들어가 여포를 만나게 했다. 여포는 편지를 읽고는 유비가 서주를 포기하고 소패로 가서 살겠다는 뜻을 알게 되었다. 여포는 크게 기뻐하며 미부인(將糜夫)을 태자 아두(阿斗)와 함께 성을 내보내 유비에게로 보냈다. 유비는 즉시 군대를 이끌고 소패로 갔다. 어떤 이가 보고했다.

"기령이 3만의 군대를 서주에 데려왔습니다."

기령은 원술의 명장이었다. 선주는 즉시 군대를 이끌고 서쪽에 진을 쳤다. 기령은 남쪽에 진을 치고 서주를 압박했다. 여포 또한 군대를 이끌고 성을 나와 동쪽에 진을 쳤다. 여포는 기령, 유현덕에게 편지를 보내 연회를 열어 날을 정해 양쪽을 초대했다. 여포는 장막 안의 높은 곳에 앉아 있었는데, 연회가 끝나자 여포가 말했다.

"한나라 황제는 나약하고 천하는 안녕하지 못하오. 수춘의 원술은 동쪽을 지키고, 서주의 도겸은 때가 되어 이를 현덕공에게 양보했소.

원술은 가까이 있어 서주를 차지하려 하지만, 나는 지금 그대 두 사람의 위태로움을 풀어주려 하오."

그리고는 사람들에게 150보 거리에 방천극(方天戟)을 세우게 시키고는 여포가 말했다.

"내가 방천극(戟)의 눈구멍으로 한 발 쏘겠소. 만약 명중하면 양쪽은 각각 전투를 끝내시오. 명중하지 않으면 기령 그대는 군사를 데리고 철수하시오. 철수하지 않으면 나는 현덕을 도와 기령 그대를 죽이겠소. 현덕의 군대가 돌아가지 않으면 나는 기령을 도와 현덕을 죽이겠소."

두 장수가 이를 따르기로 하자 여포가 화살을 쏘았다. 이에 대한 시가 있다.

"화살 하나로 태평하게 하고, 3만 명의 군사들이 창을 거두는구나. 당시 이같이 용맹한 자는 없었으니, 그 맑은 이름은 후세에 까지 전해지겠구나."

여포가 쏜 화살은 정확히 눈구멍 안에 명중했다. 기령은 군대를 돌려 돌아갔고, 선주는 여포에게 연회를 베풀고 3일 뒤에 소패로 돌아갔고, 여포는 서주로 돌아갔다.

반년 정도 지나 어느 날, 선주가 관아에 앉아있을 때 문지기가 보고했다.

"마을 어르신(父老)이 이야기하던데, 도적들이 매우 많다 합니다."

선주는 관우, 장비, 두 장수에게 도적들을 잡으라 시켰다. 장비는 천 명의 잡호기(雜虎騎)를 이끌고 소패의 정동쪽

20리로 가서 숲에 도착해 말에서 내려 쉬었다. 주변 사람들이 장비에게 술을 권하자 장비는 잔을 쥐고 웃으며 말했다.

“정말 잘 빚은 술이라 좋구나.”

그리고는 한 번에 다 마시고 나무에 기대 잠들었다.

대략 2경(二更)이 되자 정동쪽에 방울소리가 들렸는데, 알아보게 시키자 이를 장비에게 알렸다.

장비는 말에 올라 즉시 동쪽으로 3리를 갔는데, 거기에는 천여 명의 군대가 있었고 그 안에 두목 한 명이 있었는데, 그들은 셀 수 없을 정도의 많은 상자를 운반하고 있었다. 익덕(翼德, 장비)이 말했다.

“도적놈들이구나.”

장비는 큰 소리를 외쳐 사람들을 쫓아내고 재물들을 빼앗자, 후성(侯成)이 말했다.

“나는 온후(溫侯, 여포)께서 시켜 연경(燕京)에서 말을 사려 가는 길이오.”

장비는 믿지 않고 일부 군에게 시켜 그들을 소패성으로 호송해 선주를 뵙게 했다. 후성이 아뢰었다.

“이것들은 여포가 말을 사려 가지고 간 돈입니다.”

선주는 이를 듣고 이것들이 모두 여포의 물건인 걸 알고 매우 놀라 장비를 꾸짖었다. 선주와 관공은 장비와 함께 서

주에 보내 물건들을 여포에게 돌려주었다. 그리고서는 도원결의(桃園結義)에 대해 생각했다.

며칠 뒤 여포가 3만의 군대를 이끌고 여덟 명의 건장한 장수들(八健將)과 함께 소패에서 20리 되는 곳에 진을 쳤다. 다음날, 여포는 군대를 성으로 데려가 현덕과 이야기하며 장비를 넘기라고 말했다. 선주가 따르지 않자 관공이 말했다.

“장비, 안희현(安喜)에서도 독우(督郵)를 채찍질했을 때, 군사들이 대부분 떠났고 3년간 도적이 되었었다. 이전에 서주를 잃은 것도 모두 네 잘못이다. 지금 또다시 여포의 재물을 빼앗았는데, 이 또한 네 잘못이다!”

장비가 크게 화내며 말에 올라 말했다.

“죽음을 감수할 이들은 나를 따르라!”

38기의 말이 진으로 쳐들어갔다. 대략 20리를 가서 큰

숲에서 말에서 내렸다. 익덕이 말했다.

“서주를 잃고 지금은 소패도 위태로우니 내 잘못이구나. 만약 공을 세우지 못하면 두 형을 뵙기 부끄럽겠구나!”

장비가 또 말했다.

“여포는 장안에서 죄를 짓고 동쪽으로 검관(劍關)을 나와 서주로 도망쳤다. 근래에 들어보니 조조가 황제의 뜻에 따라 봉해져 10만의 군사와 100명의 명장을 이끌고 회수(睢水)에 주둔하며 여포를 잡으려 한다고 한다. 우리 18기가 회수에 가서 조공을 뵙고 그 군대를 빌려 여포를 쳐야겠다.”

길에 올라 며칠 뒤에 회수에 도착해 조조와 만나 이 일에 대해 이야기해 군대를 빌려 두 형을 구원하려 했다. 조조가 말했다.

“현덕을 호로관(虎牢)에서 보고 이별했는데, 지금 그를 보지 않고는 네가 군대를 빌리겠다는 말은 진실인지 거짓이지(真假) 모르겠구나."

장비가 말했다.

"승상의 말씀대로입니다. 돌아가서 두 형이 있는 곳에서 편지를 가져오겠습니다."

그리고는 조조에게 인사도 없이 말에 올라 18기를 이끌고 소패로 달려갔다. 여포가 소패를 철통(鐵桶)같이 포위하고 있었는데, 장비는 힘을 써서 죽여 피가 호수처럼 치솟아, 성 안으로 들어갈 수 있었다.

두 형이 물었다.

"요 며칠간 어디 있었느냐?"

익덕은 이전에 있었던 일과 여포의 진을 통과한 일, 조조가 있는 수양(睢陽)에서 도움을 청하고 돌아온 일을 이야기했다. 선주가 크게 놀라 물었다.

"군사들을 빌려오지는 못했느냐?"

장비가 말했다.

"승상은 증거가 없다며, 형제의 편지를 가져오라 했습니다."

선주는 즉시 편지를 써서 장비에게 주었다.

다음날이 되자 장비는 다시 18기를 이끌고 다시 출발해 여포와 교전했다.

여포가 말했다.

“적장과 여러 번 만나는 걸 보니 분명 구원군(求救軍)이 있겠구나.”

온후(溫侯, 여포)는 막지 못하고 장비는 18명의 기병을 이끌고 진지를 돌파했다. 며칠 뒤 조조의 큰 진영에 도착하자 승상은 크게 더할 나위 없이 크게 기뻐했다.

장비가 조공에게 편지를 주었는데, 편지의 내용은 이랬다.

“저 유비가 머리를 조아려 정하며 승상 깃발 아래에 요청 드립니다. 지금은 가을 한창으로, 태보(台輔)께 엎드리는데, 근황은 어떠신지요. 감히 위엄을 두려워하지 않고 주제넘게 거듭 작은 정성을 드리옵니다.

지금 반란을 일으킨 도적 여포가 동탁을 베고 장안에서 도망쳐 나와 서주를 습격하고 또한 소패를 포위했습니다. 저 유비는 병사와 장수가 적고, 해자는 얕고 성은 낮아, 그 위급함이 계란을 쌓아둔 것 같습니다.

장비를 통해 특별히 포위당했음에도 이 편지를 멀리 보내 전해지도록 했습니다. 저 유비를 생각하여 주신다면 이를 큰 은혜로 생각하겠습니다. 여포를 잡아 태평해질 수 있도록 엎드려 비옵나이다. 편지에 예를 갖추지 못했습니다.”

조조는 편지를 읽고는 더할 나위 없이 기뻐하고는 다시

말했다.

“장비의 용맹은 천하제일이니, 내 수하의 관리 중 익덕만한 이가 없구나.”

그리고 말했다.

“장비는 거기대장군(車騎大將軍)으로 올릴 만하구나. 내가 여포를 정벌하면 조정으로 돌아가 그대를 정식으로 임명하겠네.”

그리고는 술과 고기를 장비와 18명의 기병에게 주고, 사람들에게 술늘 들고 진영을 나가 동남쪽 진영의 두 명의 장수를 불렀다. 그 중의 한 명이 장비를 부르자 말에서 내려 서로 보았는데, 두 사람이 만나자 매우 기뻐했다. 조공이 말했다.

“이 사람은 하후돈(夏侯敦)이네.”

승상은 북쪽의 소패로 향하며 누구를 선봉으로 삼았냐

하면, 바로 하후돈을 선봉으로 삼았다.

이틀이 되기 전에 승상은 진영에서 나와 며칠 되에 소패에 도착했고, 여포의 군대가 맞이했다. 하후돈이 나와 여포와 싸우다 몇 합 되지 않아 여포가 패하는 척 하자 하후돈이 급히 쫓았다. 여포가 화살을 쏘자 하후돈의 왼쪽 눈 정가운데에 맞았다. 하후돈은 말에서 떨어져 화살을 뽑고는 말했다.

"아버지의 골수와 어머니의 피로 이루어진 것을 버릴 수는 없다."

그리고는 그 눈동자를 한 입에 삼키고는 말에 올라 다시 교전했다. 여포가 말했다.

"이 놈은 보통 놈이 아니구나."

여포가 크게 패하자 하후돈은 돌아와 7리 되는 곳에 진영을 세웠는데 거기서 장비가 군사들을 데리고 있었다. 그

들은 함께 만나 조조를 보았는데, 조조는 금족약(金鏃藥)으로 치료했다.

다시 사흘이 지나 여포가 다시 싸움을 걸어왔다. 장비와 여포는 300여 합을 싸웠지만 승패가 나뉘지 않았다. 소패에서는 선주, 관공 관리들과 함께 천 명의 잡호기(雜虎騎)를 데리고 공격하자, 여포는 대패하고 동쪽의 서주로 도망갔다. 성에서 10리 되는 곳에서 앞에서 시끄러운 소리가 들렸는데, 온후의 앞에 패잔병들이 나타났다. 그 안에서 초선이 온후와 만났는데, 그녀는 눈물을 흘리며 말했다.

"조조가 허저(許褚)를 시켜 서주를 점령했습니다."

여포가 생각했다.

'서주를 잃고 조조에 유비, 관공, 장비 같은 군대가 매우 많구나.'

여포는 동쪽의 하비(下邳)로 도망치고는, 성 안에 도착한

지 여러 날이 지나도록 나오지 않았는데, 사람들이 여포에게 보고하자 그제서야 나와 이야기했다. 여러 사람들의 말을 들은 뒤에 진궁이 이야기했다.

"온후께서는 군대를 두 부대로 나누시지요. 서북쪽 80리에 양두산(羊頭山)이 있는데 지형이 험한 곳입니다.

온후는 하비에 계시고 저 진궁은 양두산에 있겠습니다. 만약 조조의 병사들이 하비를 치면 저 진궁이 지키러 가고, 조공이 양두산을 치면 온후께서 지키러 오십시오. 장비의 세력은 저희가 감당할 수 없습니다."

여포가 말했다.

"진궁 말이 옳구나."

여포는 별채(後堂)에서 초선을 만났다. 여포가 이를 이야기하자 초선이 울면서 말했다.

"봉선(奉先, 여포)께서는 정건양(丁建陽)이 임조(臨洮)에서 반란을 일으켰던 것을 모르십니까. 마등(馬騰)의 군대가 쳐들어오자 우리는 둘로 갈라져 흩어졌고, 그 이후로 3년간 서로 보지 못했습니다.

동탁을 죽이고 나서는 돌아갈 곳이 없었고, 관동으로 도망쳤고 서주도 잃었습니다. 조조의 병사들이 하비를 압박하는데, 군사를 둘로 나누면 병사들의 힘도 그리 되는데, 만약 실패해 흩어지면 다시 만날 수 있겠습니까?"

초선이 다시 말했다.

"살아있어도 같이 있고, 죽어서도 같이 묻히며, 죽는다 해도 떨어지지 마시지요."

여포가 매우 기뻐했다.

"그 말씀대로 하겠소."

온후는 매일 초선과 즐거운 시간을 보내쓴데, 어떤 이가 알렸다.

"조공의 병사들이 도착해 성이 긴급한 상황입니다."

여포는 돌아보지도 않자 장수들이 권하지 못했다. 며칠 뒤에 밤 사경(四更) 즈음에 한 사람이 와서 창문을 두드리며 외쳤다.

"하비를 잃을 것 같습니다!"

온후가 옷을 입고나와 보니 건장한 장수(健將) 진궁이

말했다.

"기수(沂)와 사수(泗) 두 물길을 열어 하비성을 압박하고 있습니다."

날이 밝자 여러 관리들이 여포를 따라 성 위로 갔다. (진궁이) 다시 말했다.

"이전에 계책을 드려 군대를 둘로 나누어 하비를 지키려 했지만 온후가 따르지 않았습니다. 지금 지금 조승상(曹相)이 강물로 하비를 압박하니 이제 계책이 없습니다."

온후는 아무 말 없이 성 아래의 관아로 들어갔다. 그는 매일 초선과 즐거운 시간을 보냈고, 관리들은 모두 분노하고 한스러워 했다. 대략 반 달이 지나고 하루는 몇 명이 들어왔다. 여포는 이들이 진궁, 후성, 장료 등이라는 걸 알았다. 이 중 후성이 여포에게 말했다.

"임조(臨洮)에서 쫓겨나 지금까지 몇 년이 지났지만 저희는 바늘을 세울 땅도 없습니다. 밖에는 조조 유비 두 군대의 형세가 대단하고, 기수와 사수 두 강물은 하비를 잠기게 했습니다. 식량은 부족하고, 질병이 생겨 하비가 무너질 것 같아, 사람들은 모두 죽을 것 살습니다. 그런데 오후는 매일같이 초선과 즐거운 시간을 보내십니까!"

여포가 웃으며 말했다.

"조조와 유비가 온다해도 내가 누군지 모르느냐? 성이

기수와 사수에 잠겨도 나는 명마 적토가 있어, 나와 초선은 말을 타고 지날 수 있고 말로 해자를 넘어 물 위를 떠다니면 되는데, 내가 뭐가 두렵겠느냐!"

그 중에 한 사람이 소리 높여 꾸짖었다.

"여포 너는 천한 출신 놈이 말하는 거로는 초선을 데리고 물을 넘어 가겠다니. 내게 병사와 장수 3만이 있고 성 안의 백성들은 3만 가구(戶)가 있는데, 어찌 그런 말을 하느냐?"

말이 끝나기도 전에 또 꾸짖었는데, 여포가 보니 후성이었는데, 그를 데리고 나가 참수하라 했다. 여러 관리들이 말려 목숨은 살렸지만, 그는 몽둥이 30대를 맞았다. 여포는 방으로 돌아갔고 관리들도 모두 흩어졌다.

3일 정도가 지났지만, 관리들은 (불만 표시를) 그만두지 않았고, 후성은 술을 먹고는 여포를 욕했다. 그리고는 그날 밤 뒤뜰로 갔는데, 말을 먹이는 자(喂馬人)가 잔뜩 취해 있었다.

후성은 말을 훔쳐 하비 북문으로 갔는데, 건장한 장수(健將) 양봉(楊奉)은 후성이 말을 훔쳤다는 걸 알아 보았다. 이에 후성은 양봉을 죽이고 문을 탈출해 강을 건너(浮水) 도망쳤다.

대략 4경(四更, 새벽 1~3시) 정도에 관공이 순찰하다 후성을 보고는 말을 빼앗았다. 그리고는 날이 밝아 조조를 보고는 그 일을 이야기하자, 조승상(曹相)이 크게 기뻐했다.

한편 여포는 초선과 마주 앉아 있었는데, 어떤 이가 와서 후성이 말을 가져갔다 하자 여포는 크게 놀랐다. 그리고는 또 말했다.

“그가 양봉을 죽이고 조조에게 투항했는데, 어떻게 해야 합니까?”

관리들은 아무 말도 하지 않았다. 며칠이 되지 않아 조조는 물을 가두기 위해 강 위에는 둑을 쌓으라 하고, 강 아래에는 강물이 통하게 파고는 물을 모아둔 뒤에 터뜨렸다. 그리고는 작은 돌과 풀, 나무로 성의 해자(城壕)를 메워 돌을 세워 공격하게 했다.

조조는 군대를 이끌고 싸움을 걸었다. 여포가 별도로 말을 타고 성문을 나가 적을 맞이하자 하후돈이 말을 이끌고 나가 거짓으로 패했다. 여포가 급히 쫓아가자 조조는 모든 군사들을 이끌고 공격하러 가고, 복병이 함께 나타났다. 여포는 황급히 서쪽으로 도망쳤지만 거기서 관공을 맞닥뜨렸다. 여포가 동쪽의 하비로 가려 했지만 거기서 장비와 맞닥뜨렸다.

여러 장수들이 여포를 잡아 가두었다. 조조는 사람들을 시켜 높이 소리쳐 여덟 장수(八將)들이 관리들과 함께 항복하도록 시켰다. 조조는 군사들을 데리고 돌아와 진영으로

들어가 장막 안에 앉아 여러 관리들에게 묻고 장수들에게 명해, 여포, 진공을 앞에 데려오라 했다. 그리고는 진궁에게 물었다.

"너는 원래 나한테 귀부했다가, 이후에 공손찬(公孫瓚)에게 투항했다가, 다시 여포에게 달아났는데, 지금 일이 어찌 이렇게 되었느냐?"

진궁이 웃으며 말했다.

"이는 내 잘못이 아니오. 이전에 승상(丞相, 동탁)을 죽이려 한 것은 제위를 빼앗을 마음이 있었게 때문이고, 이후에 공손찬에게 갔지만 일이 어그러져 다시 여포에게 간 것이오. 하지만 그가 반란을 일으킬 줄 어찌 알았겠소. 오늘 붙잡혔으니 죽어야 당연하겠지."

조조가 말했다.

"너를 살려주면 어찌 하겠느냐?"

진궁이 말했다.

"그건 안 될 말이오. 먼저는 공손찬에게 갔다가, 다시 여포에게 귀부했는데, 또다시 승상에게 투항한다면 후세의 사람들이 나를 의리 없는 사람으로 볼 것인데, 그럴 바엔 죽음을 택하겠소."

승상이 말했다.

"진궁은 처형하고, 그의 처자식들은 석방하라."

진궁이 크게 외쳤다.

"승상이 잘못한 것이오! 내 자식들을 남겨두면 분명 후환을 남길 것이오. 어머니와 아내만은 부디 관대하게 용서해 주시오.(寬恕)"

조조는 그를 베라 하고 그의 어머니와 아내는 살려주었다. 그리고는 여포를 자기 앞으로 끌고 오게 하고는 말했다.

"호랑이 같은 놈을 보니, 위태롭다 말하지 않는구나."

여포가 장막 위를 보니 조조와 현덕이 함께 앉아있었는데, 여포가 말했다.

"승상께서 저 여포를 용서해 주신다면, 온 몸을 바쳐 보답하겠습니다. 제가 들어보니 승상께서는 보병(步軍)을 잘 다루시고 저는 기마병(馬軍)을 잘 다루니, 보병과 기병으로 함께 달려 나가면 지금 천하를 차지하는 건 손바닥 뒤집는 것(翻手)과 같을 것입니다."

조조는 말없이 현덕을 바라보자 선주(先主, 유비)가 말했다.

"정건양(丁建陽, 정원)이나 동탁(董卓)에 대해 듣지 못하셨습니까?"

조조가 말했다.

"처형하라, 처형하라(斬斬)!"

여포가 꾸짖었다.

"귀 큰 자식(大耳賊)이 나를 핍박하느냐!"

조조는 여포를 처형했다.

성 아래에서 칼날을 맞이하는 날은 가련하구나. 원문에서 극을 쏘아 맞히던(轅門射戟) 때와는 다르구나.

여포를 처형하고 하비를 평정하고 조조는 항복한 장수 장료(張遼)를 매우 아꼈다. 유비, 관우, 장비. 승상은 매일 현덕과 술잔을 나누었다.

조조는 선주가 자신을 보좌했으면 하는 마음이 있었는데,

무엇 때문에 알 수 있느냐? 이를 증명하는 시가 있기 때문인데, 그 시는 이렇다.

“두 눈으로 보고, 두 귀는 바퀴 같네. 손이 길어 무릎에 닿는 비범한 사람이 있구나. 그 집안은 원래 중산정왕(中山)의 후예이니, 어찌 조공의 신하로만 있겠는가?”

삼국지평화 권중
三國志平話卷中

조조는 관공, 장비, 유비의 군대를 데리고 돌아와 서쪽으로 며칠간 행군해 장안에 도착했다. 3일이 되지 않아 황제를 만나 하비에서 여포를 베었다는 것을 아뢰자 황제가 기뻐하며 관직을 더해주려 하자 조조가 아뢰었다.

"신의 공이 아닙니다."

황제가 물었다.

"누구의 공이오?"

"탁군(涿郡)의 유비, 관우, 장비, 세 사람의 공입니다."

황제가 부르자 세 사람이 옷을 빌려입고 황제를 알현했다. 헌제가 선주(先主, 유비)를 보니 얼굴은 보름달 같고, 두 귀는 어깨에 닿아 있어, 한경제(漢景帝)의 모습과 비슷해 보여 이에 물었다.

"현덕은 어느 집안사람이오?"

선주가 말했다.

“원래 조정의 16대손으로 중산정왕의 후예입니다. 돌아가신 아버님(先君)이신 한영제(漢靈帝) 때 삽상시가 권력을 농단해 백성으로 집안 지위가 떨어졌습니다.”

황제가 놀라며 종정부(宗正府)의 재상들에게 시켜 종정부(祖宗部)를 검토해보라 했는데, 국구 동성(國舅董成)이 황제에게 아뢰었다.

“유비는 한나라 황실(宗室) 사람입니다.”

황제가 크게 기뻐하며 즉시 현덕의 지위에 예주목(豫州牧) 좌장군(左將軍) 한황숙(漢皇叔)의 지위를 더해줬다. 또한 관우, 장비, 두 장군에게 각자 은혜로운 상을 내리고 며칠 동안 연회를 열게 했다.

황제는 크게 기뻐하며 생각했다.

'황숙. 형주의 왕(荊王) 유표(劉表)도 있고, 또 창주(滄州)의 유벽(劉璧)도 있지만 그들은 모두 내 옆에는 없네. 이제 황숙 현덕이 있어 한나라의 천하가 주인이 생겼구나!'

며칠간은 이렇게 생각했다.

한편, 조조는 병을 이유로 조정에 가지 않았다. 조조가 하비에서 여포를 무찌를 때 어찌 현덕이 한나라 황실 사람인 줄 알았겠는가? 이 때문에 어찌할 줄 모르고 있었다. 하루는 황제가 취화전(翠華殿)에서 국구(國舅, 동성)을 부르고는 말했다.

"너희 집안의 아들과 아버지가 여러 번 한나라의 녹을 먹었구나."

그리고는 옥대(玉帶) 하나를 하사하고는 후궁으로 돌아갔다. 동성은 안에서 나와 조공을 만나게 되었는데, 그가 말했다.

"황제께서 옥대를 하사하셨다는데, 그것입니까?"

동성은 옥대를 들어 조승상(曹相, 조조)에게 보여주고는 말했다.

"당신이 한나라 황실 사람이었으면 이 옥대를 받으셨을 텐데, 그렇지 않습니까?"

동성은 집으로 가서 부인과 함께 이에 대해 이야기했는데, 부인은 국구의 가슴과 등에 땀이 흘러 옷이 젖어 무거

워진 걸 보고는 다시 물었다.

"어찌 땀을 흘리십니까?"

국구가 말했다.

"한나라의 천하가 위태로워 질 것 같소."

부인이 말했다.

"왜 그리 보십니까?"

"조공이 천자의 궁전(內裏), 관리(宮監), 내시(閹宦), 모든 것들을 모고 듣고 있네. 황제가 내게 옥대를 준 것을 조조가 어찌 알았겠소?"

부인이 옥대를 보니 끝에 홍색 비단실이 있었는데, 금 바늘(金鈚)을 써서 이를 열어보니 거기에 조서(詔書)가 있었다. 국구와 부인이 매우 놀라며 말했다.

"만약 문 앞에서 조조가 이를 찾아내었다면 우리 일가가 끝나버렸겠구나!"

동성이 이를 보니 위에 황숙(皇叔) 유현덕(劉玄德), 전전(殿前) 태위(太尉) 오자란(吳子蘭), 국구(國舅), 관우(關), 장비(張), 두 장군의 이름이 있었다.

이를 보고 동성은 유현덕, 오자란에게 청해 세 사람이 조서를 보았는데, 조서에는 이렇게 적혀 있었다.

"짐이 몸소 세상을 다스리며 여러 곳에서 병사들이 일어났다. 수풀이나 나무가 길게 자라면 잘라 없애버려야 하나, 간사하고 아첨하는 이들이 생기면 이를 없애버리기는 어렵다.

옛날에 연단(燕丹)이 진나라(秦國)에 잡혔을 때 말의 뿔이 생겨 탈출할 수 있었고, 고조(高祖)가 형양(滎陽)에서 곤경에 처했을 때는 기신(紀信)이 충성과 효도를 베풀었다. 짐은 비록 덕이 없지만 이런 위기에 처해 마음이 감화되는구나.

간신을 처단했지만, 동탁과 같은 이가 나타났다. 지금 간사한(奸雄) 영웅 조조가 과인을 옆에 끼고 형세를 부리고 있으니 이를 꼭 알아주시오. 지금 한나라의 천하는 거꾸로 매달린 것 같이 급하고, 사직(社稷)은 계란을 쌓은 것처럼 위태롭고, 충신을 만나지 못하고 훌륭한 장수를 얻지 못하고 있다.

여기 조서를 받들어 결단을 내려(決斷) 간사한 영웅을 제거해 깨끗하게 하고(掃除) 천하에 두로 알려 이 사실을 말리도록 하라. 국구(國舅) 동성(董成), 태위 오자란(太尉 吳子蘭), 황숙(皇叔) 유현덕(劉玄德)과 관우, 장비 두 장군에게 조서를 내린다. 중평(中平) 9월 어느 날, 황제가 친히 명한다."

여러 관리들이 손수 쓴 조서를 읽는 것을 마치자 황숙이 말했다.

"이 일은 상세히 결정해야 합니다. 만약 관우, 장비, 두 장수가 이를 알면 조조를 죽일 것입니다. 그러나 조조는 항상 10만의 군대, 100명의 장수가 있어, 두 군대가 충돌하면 장안은 시체가 산을 이루고 피가 바다를 이룰 것입니다."

말이 끝나기도 전에 창 밖에서 한 사람이 외쳤다.

"너희들 간도 크구나(大膽)! 내가 조조에게 알려야겠다!"

황숙이 문을 열어 보니 그 곳에는 태의원(太醫院) 의관(醫官) 길평(吉平)이 있었다. 세 사람은 길평을 집 안으로 들여 조조를 죽일 계책을 이야기 했는데, 길평이 말했다.

"조조는 병이 하나 있는데, 병 이름이 뒤통수에 풍(虎頭風)이 있습니다. 저 길평이 치료중인데, 병이 발병하면 독약(毒藥)으로 죽일 수 있습니다."

동성이 말했다.

"조조는 밤에 둥근 베게를 베고 낮에는 짐주(鴆酒) 세 잔을 마시니, 분명 죽일 수 있을 겁니다."

길평이 말했다.

"내 약은 매우 독해서 삼켜서 창자로 들어가면 모두 끊어져 버릴 겁니다."

관리들이 모두 기뻐했다. 하루 정도 지나 조조의 병이 생기자 길평을 불러 치료하게 했다. 조공은 약을 먹지 않고

말했다.

"맛이 이상하구나."

길평이 조공을 꾸짖었다.

"나라를 찬탈할 도적노마, 죽는 게 당연한 게 아니겠느냐!"

그러면서 약을 뿌리자 조조가 이를 피하고는 즉시 길평을 잡아 가두었다. 조공이 물었다.

"누가 너를 보냈느냐?"

길평이 말하지 않았다.

조공이 생각했다.

'이 모두 황숙 유비의 계책이겠구나!'

그 날 연회를 열어 황숙이 오도록 했다. 조조는 길평을 나오게 해 다시 물었다.

"누가 시켜서 온 것이냐?"

길평이 다시 꾸짖었다.

"조조, 한나라 황실을 도모할 역적놈! 하늘이 나를 시켜 약을 주러 온 것이다!"

사람을 시켜 다시 심문하자 길평이 말했다.

"따로 시킨 사람은 없다. 내가 약으로 널 죽이려 한 것이다."

다시 사람을 시켜 심문하자 길평은 죽게 되었다. 이에 대한 시가 있다.

"조조와 같은 간사한 영웅은 예로부터 없었는데, 길평은 약을 써서 역적을 죽이려 했구나. 고문을 당해도 끝까지 살 생각을 갖지 않고, 죽을 때까지 대장부답게 말하지 않았구나."

조조는 길평을 죽이고 나서 황숙을 깊이 의심하며 스스로 말했다.

"이는 내 잘못이구나. 유비를 조정에 들이지 말았어야 했는데, 형제 3명은 호랑이, 늑대 같아서 어찌할 계책이 없구나."

며칠 지나지 않아 조승상은 현덕을 연회에 불렀는데, 연회 이름을 '논영회(論英會, 영웅을 논하는 연회)'라 했다. 이 소식을 듣자 황숙은 온 몸(筋骨)에 힘이 빠졌고, 연회는 끝났다. 어느 날, 일찍 조조가 황제를 알현해 말했다.

"동쪽에 적들이 너무 많습니다."

황제가 말했다.

"어떻게 다스려야 좋겠소?"

조조가 말했다.

"황숙을 서주(徐州)로 보내 지키도록 하시지요."

황제는 아뢴 대로 하라 했다. 현덕은 한 달간 가서 서주에서 30리 떨어진 곳인 첩구(帖口) 점상(店上)에 도착했다. 서주의 관원들과 관아(衙府)의 백성들이 맞이하러 나왔다.

한편, 조조는 그 전에 차주(車胄)에게 서주 태수가 되게 하고 선주의 관직을 빼앗으라 하자 차주는 점상(店上)으로 갔다. 차주가 선주에게 물었다.

"승상의 문서는 없습니까?"

선주가 말했다.

"황제께서 보내셨을 뿐 어찌 조공의 문서가 있겠소?"

그러자 차주는 섬돌 아래로 내려가 서주로 달아났다. 선주가 말했다.

"만약 차주가 서주에 먼저 도착해 나오지 않으면 어떡해

야 좋겠는가?"

관공이 말했다.

"형제여, 제가 먼저 가보겠습니다."

관공은 말에 올라 채찍질 해(加鞭) 서주로 갔는데, 가까이 접근해 차주를 기습했다. 차주는 한 번 피했지만 칼로 머리를 베자 떨어졌다. 선주가 도착하자 여러 관리들, 어르신들(父老)이 선주를 모시고 큰 관아로 갔다. 관리들의 연회가 끝나자 현덕이 말했다.

"관우, 장비, 두 형제와 관리들은 갑옷을 준비하고, 얼마나 빨리 늦게 조공의 병사들이 올지 모른다."

관리들은 논의를 끝내고 각자 갑옷을 입고 병기와 의장(器仗)을 준비했다. 한 달이 지나지 않아 조조의 병사들이 결국 도착했는데, 관공이 선주에게 보고했다.

"군대를 세 부대로 나누면 제가 먼저 (유비의) 처자식들을 하비(下邳)로 데리고 가겠습니다."

선주가 이를 허락하자 관공은 선주의 가족들을 대리고 동쪽의 하비를 수비하러 갔다. 장비가 말했다.

"내가 보니 조조의 군대 10만 명은 별거 없는 것 같소!"

그러자 누군가가 보고했다.

"조조군이 성에서 10리 되는 곳에 진을 쳤습니다."

장비가 웃으며 말했다.

"내가 계책을 하나 써서 조공이 갑옷을 부셔서(片甲) 돌아가게 하겠소."

현덕이 무슨 계책인지 묻자 익덕(翼德, 장비)이 말했다.

"손무자(孫武子)의 병서(兵書)에서는 물을 건너서 성을 공격하면 안 되고, 곤경에 처한 병사들을 공격해야 한다 했소. 해가 지고 한밤중이 되면 내가 3천명의 군사를 이끌고 조조의 진영을 공격하면 조조를 금방 죽일 것이오."

선주가 말했다.

"그리 해 보거라."

그러나 장막 아래에 있던 한명 보병 부대 장수(步隊將) 장본(張本)이 생각했다.

'지난번에 내 장인 조표(曹豹)가 여포를 시켜 서주를 야습했는데, 이후에 관공에게 살해당했다.

부자 사이 원한을 어찌 갚지 않겠는가?'

장본은 홀로 서주 땅을 떠나 (조조의) 큰 진영으로 가서 이에 대해 조공에게 이야기했다. 그날 밤 장비와 선주는 3만의 군대를 이끌고 한밤중에 공격해 들어갔다.

진영이 비어있고 조조군에게 포위되었다. 유비, 장비의 병사들은 싸우다가 날이 밝자 떠났는데, 갑옷이 깨지고 살아 돌아온 이가 없었다. 황숙과 장비는 생사를 알 수 없게 되었고, 조승상은 서주를 점령하고 백성들을 살폈다. 조공은 장막에 와서 말했다.

"유비, 장비는 이미 죽었고 하비에 관공만 남았네. 내가 관공을 아끼는데 어찌해야겠소?"

장막에서 한 사람이 나와 말했다.

"소인이 하비로 가서 좋은 말로 관공을 설득하겠습니다."

승상이 이를 보니 장료(張遼)였는데, 매우 기뻐하며 말했다.

"관공을 만나기만 하면 모두 항복할 것이오."

장료는 조공에게 인사를 드리고 아침 일찍 하비로 떠났다. 감부인(甘夫人)과 미씨(糜氏)가 아두(阿斗)를 안고 하늘을 보고 크게 서러워하며 관공에게 말했다.

"황숙께서 작은 도련님과 죽었다는데 우리 집안은 어찌

해야 합니까?"

관공이 눈물을 흘리며 말했다.

"형수님들께서 사시겠다면 함께 살고, 죽으시겠다면 같이 죽겠습니다."

갑자기 누군가 와서 보고했다.

"지금 조조의 장수 장료가 하비에 와서 크게 문을 열라며 할 말이 있다고 외치고 있습니다."

관공이 그를 불러들였다.

장료가 관청에 도착하자 미염공(美髯公, 관우)이 물었다.

"서주는 어떻게 잃게 된 것이오? 황숙과 장비는 살았는지 죽었는지 모르오?"

장료가 말했다.

"난전(亂軍) 중에 죽은 것 같소."

미염공이 통곡하며 말했다.

"나는 죽음이 두렵지 않네. 그대는 나를 설득하려 하지 마시오."

장료가 말했다.

"그렇지 않습니다. 비록 황숙과 장비가 난전 중에 죽었다 해도 공과 가족들은 가야 할 곳을 모릅니다. 만약 조조군이 성 아래에 도착한다면 어찌 난처한 상황에 처하지 않겠습니까? 관공께서는 춘추좌씨전(春秋左氏傳)을 독서하신다 하는데, 이를 아시면서도 어찌 그 뜻을 풀지 못하십니까? 조조께서는 그대를 심히 아끼십니다."

관공이 말했다.

"내가 만약 조조에 투항하면 어떻게 되겠소?"

장료가 말했다.

"장군께 무거운 직책을 맡기고 매달 400관(貫), 400석(石)을 받으실 겁니다."

관공이 말했다.

"만약 세 가지 조건을 받아들인다면 항복하리다."

장료가 말했다.

"말씀해 보시지요. 장군."

"나와 부인(夫人)은 한 집을 두 곳으로 나누어 살게 해 주시오. 황숙의 소식을 알게 되면 찾으러 갈 수 있게 해야 하오. 나는 한나라에 항복하는 것이지 조조에 항복하는 게 아니오. 그러면 이후에 승상과 함께 큰 공을 세울 것이오. 이 세 가지 조건을 따라 준다면 즉시 항복하고, 따르지 않는다면 죽음을 각오하고 싸우겠소."

장료가 웃으며 말했다.

“이는 간단한 일입니다.”

장료가 조공에게 돌아가 이에 대해 이야기하자, 5일이 디지 않아 조조군이 하비로 들어왔다. 조조가 외쳤다.

“운장(雲長, 관우), 성 아래로 내려와 이야기하세!”

운장이 말했다.

“세 조건은 어떻게 보셨습니까?”

조승상이 말했다.

“이 곳은 한나라의 세상이니 그대가 내게 투항하면 그대를 수정후(壽亭侯)에 봉하고 매월 400관, 400석을 내리고, 한 집을 두 곳으로 나누어 살게 하겠네.

황숙이 있는지 알게 되면 장군은 가족들을 이끌고 형님을 만나러 가시게. 그대의 말대로 큰 공을 세워 내 심복(心腹)이 되게나.”

관공은 상 아래로 가 조조와 서로 만났다.

며칠 지나지 않아 황숙의 가족들과 서쪽으로 가 황제를 뵈었다. 황제가 관공을 보자 곱슬곱슬한 수염이 배를 덮고 있었는데, 마음속으로는 크게 기뻐하고, 수정후(壽亭侯)의 관직을 내렸다. 매월 400관과 400석을 주고, 말을 타면 금을, 내리면 은을 하사하고, 한 집을 두 곳으로 나누어 살게 했다. 그리고 3일마다 작은 연회를 열고 5일마다 큰 연회를 열어 환대했다.

한편, 황숙은 서주의 북쪽에 대략 50리 떨어진 곳, 구리산(九里山) 계곡 입구의 숲으로 들어갔는데, 그 곳에서는 몇 명 남아있지 않았다. 그 곳에 모여 있을 때 황숙은 검을 뽑아 자결하려 했지만 그 사람들이 말리자 현덕이 울며 말했다.

"서주를 잃어버리고, 장비의 생사도 알 수 없고, 아끼는 동생 관공에게 내 처자식들을 맡겼는데, 이들 역시 조조에게 투항해 버렸구나."

말을 마치고는 하늘을 향해 크게 통곡했다. 황숙은 돌아갈 곳이 없었는데, 날이 밝자 동북쪽으로 갔다. 대략 며칠을 가자 우거진 숲이 햇빛을 가리고 과수원과 논이 몇몇 있어 현덕이 물었다.

"이 곳은 어디요?"

어떤 이가 말했다.

"이 곳은 청주(青州)의 경계로, 이 곳 관리는 원담(袁譚)입니다."

황숙은 말을 타고 성으로 가 여관에 머물렀다. 다음날 원담을 만나자 며칠간 연회를 열었는데, 원담이 말했다.

"서주는 이미 잃었고, 장비의 생사를 알지 못합니다. 관공은 내 처자식들을 데리고 조조에게 투항했습니다. 태수님

께 5만의 군사를 빌려 조조를 죽이고 처자식들을 구하고 싶습니다."

원담이 이를 따르기로 했다. 또 며칠이 지나 황숙이 이야기했지만 원담은 그리한다고 했지만 병사를 일으키지는 않았다. 반 달 정도 지나 술에 취해 여관으로 돌아온 황숙은 입으로는 짧은 노래 한 구절을 읊으며 노래했다.

"천하가 큰 혼란에 빠졌구나. 황건은 어느 땅에나 퍼져 있고, 온 세상은 황황하고(皇皇), 도적들은 개미떼 같구나. 조조는 그 한계를 모르고 군주가 될 뜻을 가지고, 헌자는 힘이 없고 기대고 의지할 곳이 없구나. 나는 뜻이 있어 유씨(劉氏)를 다시 부흥시키려 하나, 원담은 자애로움이 없어 탄식을 그칠 수 없구나!"

노래를 마치자 서쪽 사랑채(西廊) 아래에서 한 장수가 현덕의 노래를 듣고 그 소리에 화답했다.

“내게는 긴 칼이 있지만, 허공에 휘두르며 탄식하는구나. 조정 내부가 올바르지 않아, 도적들이 교룡처럼 날뛰는구나. 장사(壯士)가 숨어 지내니 바람과 구름이 따르지 않고, 방패와 창을 들고 일어나서 조정에 의지하려 하는구나. 영웅이 서로 만나서 유방(劉邦)을 도와 조조 역적 놈을 모조리 쳐버리고 임금과 한 몸이 되리라.”

황숙이 섬돌 아래를 보니 이 노래를 부르던 사람을 알아보았는데, 그는 바로 상산(恆山)의 조자룡(趙子龍)이었다. 조운(趙雲)과 서로 바라보고는 섬돌 위로 맞이해 현덕이 그 원통함을 하소연하자 조운이 말했다.

“청주의 원담은 결단력이 없어, 신도(信都)로 투항해 원소(袁紹)를 보는 게 낫습니다.”

황숙은 말에 올라 서쪽의 신도에 투항했는데, 그 곳은 기주(冀州)에 있었다. 3일이 지나지 않아 조운은 황숙을 데리고 신도의 여관으로 갔다. 조운은 먼저 기주의 왕(冀王, 원소)를 만나 황숙의 일에 대해 이야기했다. 기주의 왕이 크게 기뻐하며 황숙을 부르자 기주의 왕이 서로 만나게 되었다. 며칠간 연회를 하고, 황숙이 다시 말했다.

"조조가 천하를 두고 오만하게 하니, 제후들은 함께 뜻을 가지고 군대를 빌려 조조를 죽여 한 황실을 세우려 합니다. 대왕께서는 어떻게 하시겠습니까?"

원소는 이를 허락하면서 다시 말했다.

"내게는 호랑이 같은 장수 안량(顔良)이 있어, 그가 도착하면 반드시 조조 역적 놈을 죽일 것이오."

그러자 대부(大夫) 허유(許攸)가 간했다.

"대왕께서는 잘못 하시는 겁니다. 군사들이 죽게 되면 대왕께서는 어떻게 도모하시겠습니까?

그리고 조공은 조조는 항상 10만의 군대와 100명의 장수들이 있다는 걸 듣지 못하셨습니까? 언제나 이기는 이들은 후세에 이름을 남기게 되겠지만, 만약 실패하면 신도를 지킬 수 없을 것입니다! 대왕께서는 잘 생각해 보십시오."

허유가 다시 말했다.

"최근에 들어보니 서태산(西太山)에 도적 장수 흑호(黑虎)가 있는데, 그들에게 군대를 일으킨 이후에라도 늦지 않을 것입니다."

원소는 조조를 용서할 수 없어 호아대장(虎牙大將) 안량

(顔良)을 대원수(大元帥)로 삼고, 좌장(左將) 문추(文醜)를 전군교위(典軍校尉)로 삼고, 허유를 수군참모(隨軍參謀)로 삼아, 10만의 군사를 이끌고 조공에게 쳐들어가 진영을 세웠다.

한편, 조조가 앉아 있었는데, 누군가 와서 보고했다.

"지금 원소의 군대가 와서 싸움을 걸고 있습니다."

승상은 크게 놀라 불같이 빠르게 군사들을 모았다. 이에 즉시 지혜주머니 선생(智囊先生) 장료(張遼)를 군사(軍師)로 삼고, 하후돈(夏侯敦)을 선봉(先鋒)으로, 조인(曹仁)을 대장으로 삼아, 그날 조승상(曹相)은 10만의 군대를 일으켜 나아갔다.

며칠 뒤 기주의 왕의 군대를 상대하게 되었다. 조조가 안량과 대화하려 하자 안량이 화내며 말했다.

"조조 역적 놈은 도망가지 마라!"

그리고는 말을 쫓고 창을 잡으며 조공을 잡으려 했다. 하후돈이 말을 달려 나가 교전했는데, 대략 30합을 싸워 하후돈이 대패했다. 각각 군사를 거두었고 날이 저물자 진영을 세웠다.

다음날, 안량이 다시 싸움을 걸어오자 하후돈은 다시 말을 달려 나갔지만 다시 패했고, 조인이 말을 달려 나가 안량과 싸웠지만 조인도 패했다. 안량이 죽일 기세를 모아 엄

습하자 조조군은 절반 이상이 큰 손실을 입었다. 전투가 정오(午)부터 해가 저물 때까지 이어졌는데, 안량이 군사를 돌려 진영으로 돌아와 기주의 왕을 만나 승리를 보고하자, 원소는 크게 기뻐하며 군대에 상을 내렸다.

한편, 조승상은 패배한 군사들을 이끌고 장안으로 돌아와 관공을 연회에 초대했다. 조조가 안량의 위엄에 대해 이야기하자 연회가 마치기도 전에 한 사람이 와서 보고했다.

"안량이 군대를 이끌고 와 싸움을 걸고 있습니다."

조조가 말했다.

"군사들을 먼저 보내라."

그리고 말했다.

"미염공(美髯公, 관우)는 군량과 마초(糧草) 뒤를 따라가도록 하시오."

승상 역시 말에 올라 원소군과 접전을 벌이러 가자 양

진영이 상대하게 되었다. 안량이 말을 타고나와 싸움을 걸자 하후돈 역시 말을 타고 나왔다. 두 사람이 30합을 결전하자 하후돈이 패해 본진으로 돌아오자, 조공이 탄식했다.

"안량의 영웅적인 용맹이 있는 자를 어찌해야 하는가?"

답답해하던 차에 한 사람이 와서 보고했다.

"관공이 도착했습니다."

조공이 급히 관청으로 들라하고 안량의 위엄에 대해 말하자 관공이 웃으며 말했다.

"그 보잘 것 없는 놈이 어찌 감히!"

관공은 진영을 나와 칼을 가지고 말에 올라 높은 곳에서 안량의 장막의 깃발을 보고는 그게 안량의 깃발인 것을 알았다. 10만 군사들의 진영이 둘러싼 곳으로 운장은 말 하나로 칼을 쥐고 진영으로 달려가 안량이 있는 곳을 보았다. 그리고는 주저하지 않고 한 칼에 안량의 머리를 베어 땅에 떨어뜨리고 칼끝에 안량의 머리를 꽂아 본영으로 돌아왔다. 그리고 조공을 만나자 조공은 놀라 마지않고, 손으로 운장의 등을 쓰다듬으며 말했다.

"10만의 군대가 있는 곳에서 안량의 수급(首級)을 가져오다니 손바닥을 보는 것 같구려. 장군의 영웅적 용맹은 정말 대단하오!"

운장이 말했다.

"저 관우는 강하지 않습니다. 제 형제는 100만의 군대 안에서 사람 목을 베는 걸 손바닥 뒤집듯 합니다."

조공이 말했다.

"장비 역시 그렇게 강하다니!"

그의 사당에 이러한 찬사가 있다.

"용기는 구름을 뛰어넘으니, 실로 호랑이 같은 신하구나. 용맹은 한 나라에서 만명도 대적할 만 하구나. 촉(蜀)과 오(吳)의 날개였지만, 오가 기린(麒麟)을 꺾어 버렸구나. 영웅적 용맹이여, 앞뒤로 절륜하구나(絕倫)!"

한편, 원소는 군대가 패해 진영으로 골아와 관공이 안량을 죽였다는 것을 들었다. 원소는 크게 화내며 황숙을 꾸짖었다.

"너와 관공이 내통해 계략을 꾸며 내가 아끼는 장수 안량을 죽여, 내 팔 하나를 잃은 게 되었다!"

그리고는 사람을 시켜 황숙을 끌어내 죽이려 하자 문추가 말했다.

"주공께서는 노여움을 가라 앉히십시오. 소인이 관공과 싸우러 가 안량의 원수를 갚겠습니다."

문추는 군대를 이끌고 나가 조조군과 대치했는데, 문추가 소리쳤다.

"오랑캐 놈은 말을 타고 나와라!"

관공은 말없이 문추를 잡으러 갔다. 10합도 싸우지 않고 문추가 패해 말을 달려 도망치자 관공이 분노하며 말했다.

"어찌 싸우려 하지도 않느냐!"

급히 30여리를 쫓아가 나루터에 도착했는데, 그곳은 관도(官渡)라 불리는 곳이었다. 가까이 가서 관공이 칼을 휘둘렀다. 관공은 문추를 베어버렸는데, 어깨부터 팔뚝가지 베어버려 두 조각으로 나뉘어져 문추는 말에서 떨어져 죽었다. 조승상은 군대를 이끌고 원소군을 죽였는데, 10명 중 8명이 죽었다. 패한 군사들이 원소에게 돌아와 관공이 문추를 죽인 것을 이야기하자 원소가 크게 놀랐다.

"내가 두 팔을 잃었구나! 유비가 관공이 어디 있는지 모른다 하더니 지금 와서 내 두 장수들을 잃게 했구나!"

그리고는 사람을 시켜 선주를 끌고 와 베라 했는데, 한 사람이 앞으로 와서 꿇어 앉았는데 그는 바로 항산(恆山)의 조운(趙雲)이었는데, 그가 말했다.

"사실 관공은 유비가 이곳에 있다는 걸 알지 못하고 있습니다. 만약 선주가 이곳에 있는 걸 안다면 한 길(一徑)에 달려와 대왕께 토항할 것입니다. 저 형제 3명은 하늘에 맹새했는데, 한날 태어나지는 않았지만, 한날 죽기를 빌었다 합니다."

"소인이 유비를 데리고 조조군의 진영으로 갔으니, 관공이 유비를 본다면 투항하러 올 것입니다."

원소는 아무 말도 하지 않았다.

"대왕께서 걱정되어 맡기지 못하신다면 소인의 가족 100명을 걸겠습니다."

원소가 허락했는데, 또다시 선주의 목숨을 살린 것이다. 조운과 선주는 말에 올라 진영을 떠나갔는데, 선주가 생각했다.

'만약 조운이 아니었다면 내 목숨을 지키지 못했을 것이다. 생각해보면 형제였던 운장은 수정후(壽亭侯)라는 관직을 받고 한나라 황실의 덕을 받았으니 역시 형제로 생각하지 않겠구나. 이제 갈 곳도 없구나. 형주(荊州)의 유표(劉表)가 형주의 왕(荊王)으로 있으니 내가 가면 몸을 맡길

수 있겠구나.'

조운을 돌아보지 않고 채찍을 들고 말을 몰아 서남쪽으로 달려가자, 조운이 급히 따라가 말했다.

"선주께서는 어디로 가십니까?"

아무 말도 하지 않자 조운이 말했다.

"선주께서 말씀하시면 저 조운도 같이 가겠습니다."

조운이 생각했다.

'선주는 보통 사람의 모습이 아니니, 앞으로 반드시 귀한 신분이 될 것이다. 또 한고조(高祖) 16대손이기도 하니 내가 어찌 그를 버리겠는가?'

급히 달려가 조운이 다시 물었는데, 선주는 조운을 급히 따라오자 만났는데, 선주는 그 우여곡절을 털어놓으며 말했다.

"지금 운장 역시 한나라의 녹을 받아, (도원)결의(結義)를 생각하지 않네. 지금 형주의 왕 유표가 있는데, 나는 지금 다시 그곳 형주로 가 살 생각이네."

조운이 말했다.

"선주께서 형주에 머무르기로 하셨다면 저 조운도 따라가겠습니다."

선주가 말했다.

“그대의 가족들을 만나러 기주의 왕에게 가는 것이 당연할 텐데 어찌 떠나려 하시오?”

조운이 말했다.

“현덕께서는 인덕을 가진 인물이시니 이후에 분명 귀해지실 겁니다.”

두 사람은 서남쪽으로 갔다.

한편, 조조는 마음속으로 크게 기뻐했다.

‘관우를 얻다니. 10만의 군대 속에서 단기로 말을 달려 안량을 찌르고, 관도까지 문추를 쫓았는데, 이 시대의 영웅적인 용맹이구나. 나를 보좌할 이를 얻었으니 천하를 엳보고 뒤바꿀 수 있겠구나!’

조조는 또한 관공에게 훌륭하게 예우했는데(伸禮), 3일에 한 번 작은 연회, 5일에 한 번 큰 연회를 열고, 말을 타면 금을, 말에서 내리면 은을 주었다. 또한 미녀 10명을 내려 관공 가까이서 시중들게 했다. 관공은 이들을 쳐다보지도 않고 감씨, 미씨, 두 형수들과 한 집을 두 구역으로 나누어 살았다. 관공은 매일 선주의 영전(靈前)에 아침마다 참배하고 저녁마다 예를 올렸다.

어느 날 날이 저물어 두 형수가 방 안에 가서 보니 두 형수가 영전에서 향을 피우고 술을 올리며 큰 소리로 곡을 하자 관공이 웃으며 말했다.

"두 형수님께서는 곡을 그만하시지요. 형님께서 계신 곳을 알았습니다."

감부인, 미부인이 말했다.

"도련님께서 취하신 겁니까?"

관공이 말했다.

"들어보니 형님께서는 기주의 왕 원소가 있는 곳에 있다 합니다. 형수님들께서는 짐을 챙기시지요. 내일 조승상에게 인사드리고 나서 원소가 있는 곳으로 가시지요."

관공은 원래 있던 곳으로 돌아갔다.

다음날이 되자 관공은 조승상에게 인사드리려고 승상부(相府)로 갔지만, 문 앞에 '유(酉, 취해있음)'자가 적힌 팻말이 걸려 있었다. 관공은 다시 집으로 돌아갔다. 둘째 날에도 다시 갔지만 승상부의 문 앞에 '유(酉)'자 팻말이 걸려 있었다. 관공은 다시 집으로 돌아갔다. 셋째 날에도 다시 갔지만 승상부의 문 앞에 '유(酉)'자 팻말이 걸려 있었다. 관우가 화가 나 말했다.

"승상이 일부러 만나주지 않는구나!"

다시 집으로 돌아와 자신에게 준 금과 은을 묶어 모두 세어 봉해두고, 자신에게 주었던 (관직) 도장과 징표를 10명의 미인들에게 맡겼다. 그리고는 사람들에게 짐을 말에 싣게 하고, 두 형수는 수레에 타게 하고 장안을 떠나 서북

쪽으로 출발했다.

한편 조승상이 화내며 말했다.

"운장을 생각해 이와 같이 무겁게 썼는데, 나를 지키려 하지 않고 원소가 있는 곳으로 가려 하다니!"

조승상은 문을 닫고 3일간 열지 않았던 것이었는데, 그는 관공이 원소가 있는 곳에 가서 황숙을 찾으려 한 것을 미리 알고 있었던 것이다. 내부의 심복들(心腹)이 조공의 눈과 귀가 되었기 때문이다. 이에 승상부(相府)를 3, 4일간 열지 않았다.

조승상은 관리들과 이를 상의했는데, 지혜 주머니 선생(智囊先生) 장료가 말했다.

"먼저 패릉교(霸陵橋)로 군사들을 보내 양쪽에 매복시키십시오. 관공이 도착하면 승상께서 잔을 들고 관공을 보내주십시오. 관공이 내리면 아홉 마리 소(九牛) 같은 허저(許

褚)를 이용해 관공을 잡으십시오. 말에서 내리지 않으면 승상께서 비단 전포 10량을 주십시오. 관공은 분명 말에서 내려 전포를 받을 텐데, 그 때 아홉 마리 소 같은 허저가 잡으면 됩니다."

조조가 매우 기뻐하며 면저 패릉교에 양쪽으로 병사들을 매복시켰다. 조조, 허저, 장료는 패릉교 위에 가서 미리 기다리고 있었다.

얼마 지나지 않아 관공이 도착하자 승상이 잔을 건냈는데, 관공이 말했다.

"승상께서 죄를 묻지 않으신다면 저 관우는 마시지 않겠습니다."

역시 말에서 내리지 않자, 비단 전포를 허저를 통해 주려 하자 또다시 말에서 내리지 않으며, 관공은 칼 끝을 사용해 전포를 가져갔다. 관공이 말했다.

"전포를 주셔서, 전포를 주셔서 감사드립니다!"

앞뒤로 수십 명의 병사들이 있었지만 조공은 감히 손쓸 수 없었다.

운장은 감, 미, 두 부인의 수레와 함께 기주의 왕이 있는 곳으로 갔다. 며칠 뒤 기주의 왕의 진영에 도착하자 무지기가 보고했다.

"지금 관공이 문 앞에 왔습니다."

기주의 왕이 놀라 말했다.

"내 두 장수들을 해친 자가 지금은 내 앞에 왔구나!"

기주의 왕이 생각했다.

'관공이 내가 있는 곳으로 와서 내가 관공을 얻었는데, 신도를 지키는 데 무슨 걱정이 있겠는가?'

사람들에게 관공을 진영 안으로 오게 했다.

원소와 마주 하며 예를 마친 뒤 관공을 상장(上帳)으로 맞이했다. 기주의 왕이 술을 권하자 관공은 마시지 않았다.

"형님을 뵙지 못했는데, 어디 계십니까?"

기주의 왕이 말했다.

"선주는 취해있네."

관공이 생각했다.

‘이 곳에는 우리 형님이 계시지 않구나.’

관공이 말했다.

“문 밖에 두 형수님이 계신데, 진영 안으로 모신 뒤에 마셔도 늦지 않겠습니다.”

기주의 왕이 크게 기뻐하자, 관공은 진영을 나가서 말에 올라 급히 문지기를 불러 한 손으로는 잡고, 한 손으로는 검을 쥐고 물었다.

“선주께서는 안 계시느냐? 만약 말하지 않으면 널 죽여 버리겠다!”

문지기가 소리 내었다.

“안 계십니다.”

다시 물어보자 문지기가 말했다.

“조운과 함께 형주에 투항하러 갔습니다.”

관공은 그를 풀어주었다.

한편, 관공은 두 형수와 함께 남쪽으로 태항산(太行山)을 지나 형주로 가려 했다. 관공은 홀로 감, 미, 두 형수를 모시고 천 개의 산, 만 개의 강(千山萬水)을 건넜다.

한편, 선주와 조운은 수하 3,000명을 이끌고 정남쪽으로 향했는데, 징과 북소리가 울려서 보니 군대 한 무리가 보였다. 앞에 한 사람이 있었는데, 새빨간 두건(茜紅巾), 동갑옷

(熟銅甲). 산을 쪼개는 도끼(開山斧)를 가지고 있었는데, 높이 소리쳤다.

"통행세를 내놔라!"

선주가 말을 타고 가서 말했다.

"그대는 이름이 어찌 되시오?"

도적이 선주를 보고 바쁘게 말에서 내려 예를 차려 말했다.

"현덕공께서는 그간 근심은 없으셨습니까. 저는 한나라의 신하 동고(鞏固)로 동탁(董卓)이 권세를 농단하자 이처럼 도적이 되었습니다."

그리고는 선주, 조운과 군사들을 산속의 진영으로 맞이해 소고기와 술을 대접했다. 술을 마시던 중 낮은 관리가 와서 보고했다.

"대왕의 사자가 도착했습니다."

공고는 밖으로 나가 사자를 맞이하자 사자가 말했다.

“지금 대왕의 뜻을 전한다. 너는 3개월 동안 돈이나 물건을 주지 않았으니, 원래라면 네 목을 베어야 하나 이번만큼은 용서해 주겠다. 만약 다시 그렇게 한다면 그 때는 용서치 않겠다.”

공고가 장막으로 들어와 선주와 만나자 선주가 물었다.

“어느 나라의 사자가 온 것이오?”

공고가 말했다.

“종전산(終前山)에서 왔습니다. 소인이 듣기로는 혼자서 중원(中原)을 진압했다 하는데, 최근에 혼자서 열 마리 말을 끌고 와서 소인을 패배시키고는 매월 공물을 요구합니다.

산 남쪽에 고성(古城) 하나가 있는데, 거기서 자신을 ‘무성대왕(無姓大王)’이라 부릅니다. 고성 안에 궁궐을 세워 그 이름을 황종궁(黃鐘宮)이라 부르고, 연호를 세워 쾌활년(快活年)이라 합니다. 그는 장팔사모(丈八神矛)라는 창을 쓰는데, 만 명도 대적하기 힘듭니다."

선주는 그 말을 듣고 생각했다.

'혹시 장비가 아닐까?'

조운은 창을 하나 쓰는데 그 명칭이 애각창(涯角槍)으로, 바다 끝 하늘 끝(海角天涯)에서 대적할 이가 없었다. '삼국지(三國志)'에서 장비의 창을 제외하면 제일 훌륭한 창이다. 조운은 무성대왕을 보기 위해 선주와 사람들과 함께 산을 내려갔다. 고성이 가까워지자 조운은 징과 북을 하늘이 울리게 쳤다.

한편, 장비는 고성의 관청 안에 있으면서 이를 들었는데, 낮은 군사가 보고했다.

"누군지는 모르겠지만 성 밖에서 싸움을 걸어 왔습니다."

장비가 이를 듣고 크게 소리쳤다.

"누구냐? 감히 누가 나와 싸워 죽고 싶으냐?"

그리고는 급히 말을 준비해 불처럼 빠르게 갑옷을 입고 창을 쥐고 말에 올라, 부하 몇 명들을 이끌고 말을타고 성 북문으로 나가 선주의 군대를 보자 나는 것처럼 빨리 다가왔다. 양 진영이 상대하게 되자 장비가 말했다.

"어떤 놈이 싸움을 걸었느냐?"

조운이 말을 달려 나가며 창을 쥐자 장비가 크게 분노해 장팔강모(丈八鋼矛)을 가지고 조운을 잡으려 들었다. 두 말이 교전하자 두 창(條槍)이 구렁이 같았는데, 30합을 완강히 교전하자 장비가 성내며 말했다.

"한나라에서 이렇게 강하게 창을 잘 쓰는 놈을 볼 줄이야!"

또다시 30합을 겨루고 조운이 기력을 당해내지 못하고 본진으로 말을 돌려 돌아왔다.

장비가 화내며 말했다.

"네 녀석을 죽이려 했었는데, 진작에 패해 돌아가는구나!"

말로 쫓으며 창을 들고 조운을 쫓아 진영 앞에 도착했다.

선주가 장비인 걸 알고 외쳤다.

"형제 장비여!"

장비가 살펴보니 형님인지라 말안장에서 내려 머리를 조아리며 절하면서 말했다.

"형님, 어찌 살아서 이곳까지 오셨습니까?"

그리고는 말에 올라 성 안으로 안내해 황제의 좌석으로 안내했다. 사람들이 모두 성 안으로 들어갔다.

장비는 선주가 자리에 앉자 술자리를 열었다. 장비가 물었다.

"둘째 형님은 어디에 계십니까?"

선주가 이야기했다.

"관공은 조조를 도와 수정후(壽亭侯)라는 관직에 봉해졌고, 원소의 두 장수를 베었는데, 이 때문에 내 목숨이 위험해졌네. 그는 복숭아 정원(桃園)에서의 은혜를 잊었어."

장비가 이를 듣고 나서 크게 화냈다.

"죽여 버릴 오랑캐 놈이(叵耐胡漢)! 같은 날 태어나지는 않았지만, 같은 날에 죽자 했는데. 그 놈은 지금 조조에게서 부귀(富貴)를 누리고 있다니! 내 그 놈을 보기만 하면 끝장 내주겠소!"

그리고는 선주에게 다시 술을 권했다.

그 이야기는 이까지 하기로 하고, 선주는 고성에 있을 때, 한편 관공도 고성 근처에 있었는데, 사람을 시켜 장비에게 알렸다. 장비가 이를 듣고 크게 외쳤다.

"죽여 버릴 오랑캐 놈이(叵耐胡漢), 네가 어찌 지금 내 눈앞에 있느냐!"

급히 말을 달려 갑옷을 두르고 나가자 선주와 사람들도 나갔다. 장비는 관공을 보고 말을 달리고 창을 잡아 관공을 잡으려 하자 관공이 말했다.

“내 형제 장비여!”

장비가 듣지 않고 관공을 창으로 찌르려 하자, 관공은 급히 창을 막아냈다. 장비는 관공이 싸우려 하지 않고 말을 타고 있자 말했다.

“너 이 신의(信) 없는 놈아, (도원)결의(結義)할 때의 마음을 잊었느냐!”

“형제여, 모르고 있구나. 나는 지금 두 형수님과 아두(阿斗)를 모시고 1천리의 길을 왔는데, 이는 형제, 형님을 찾으러 온 거네. 그런데 네가 어찌 날 죽으려 하는가?”

장비가 말했다.

“너는 조조로부터 부귀를 누릴 뜻을 품어 선주를 쫓아온 게 아니냐?”

두 사람이 이야기하는 사이 먼지 구름이 일어 비가 내리는 것처럼 하늘을 가렸다. 가까이 가보니 깃발 위에 한나라 장수 채양(漢將蔡陽)이라 적혀 있었는데, 장비가 말했다.

“너는 조조를 따르지 않는다더니 지금 여기 온 한나라 장수 채양이 온 것은 우리를 정벌하려는 게 아니냐?”

관우는 이를 듣고 말을 돌려 채양을 상대했다. 채양은 군사들에게 명을 내려 진영을 펼쳤다. 채양이 말을 타고 나와 말했다.

“은혜를 잊은 자식아! 내가 승상의 뜻에 따라 너를 쫓아 왔다!”

관공이 크게 화내며 말했다.

“나는 은혜를 잊은 게 아니다. 지금 (형님의) 처자식들을 데리고 형님을 만나러 가는 길이다. 조승상에게 큰 공을 세웠는데 은혜를 갚은 게 아니냐.”

그러자 깃발을 흔들고 북을 치고는 채양이 관공을 잡으려 들자 관공은 말을 이끌고 칼을 휘둘렀는데, 북이 한 번 울리자 관공은 한칼에 채양을 베어버렸다. 그러자 군대가 어지러이 도망쳤는데, 이를 두고 ‘열 번 북소리로 채양을 베었다.(十鼓斬蔡陽)’라 알려지게 되었다.

장비는 관공이 채양을 죽이는 걸 보고는 말 안장에서 내려 예를 갖추어 앞에 가서 말했다.

“이제 와서야 둘째 형에게 지은 죄를 용서해 주십시오.

둘째 형이 조조를 따른다고 생각했지, 둘째 형의 절조 있는(貞烈) 마음을 몰랐습니다."

그리고는 고개를 숙이고 절을 드렸다. 예를 마치고는 관공을 성 안으로 들였다. 관공이 선주를 만나 예를 마치자 선주가 말했다.

"형제가 원수의 두 장수를 죽여 내가 목숨을 지키지 못할 뻔 했다. 만약 조자룡(趙子龍)이 아니었다면 내가 어찌 탈출할 수 있었겠는가? 아마 오늘처럼 만나지 못했을 것이다."

관우가 말했다.

"형님이 그 곳에 계신 줄 몰랐습니다."

드디어 두 형수와 아두가 수레에서 내렸고, 형제 세 명이 다시 만나게 되자 선주가 이마에 손을 대고 말했다.

"이렇게 우리가 하늘의 인연으로 다시 만나게 된 것은

오늘날 대장 조운을 만났기 때문이네. 조운은 병사 3천이 있으니 합쳐서 5천이 되는구나."

세 사람은 크게 기뻐하며 매일 연회를 열었는데, 이를 '고성에서 세력을 일으켰다.(古城聚義)'라 말한다.

그날 선주가 말했다.

"여기 이 고성은 오랫동안 있을 만한 곳이 아니네, 만약 조조의 군대가 오면 어떻게 하겠는가? 지금 형주의 유표가 있는데 형주의 왕(荊王)이라 한다네. 만약 형주의 왕을 만나면 군(郡) 하나의 땅을 얻을 수 있으니 있을 만한 곳일 걸세."

관우, 장비가 말했다.

"그 말씀이 맞습니다."

곧장 짐을 정리해 날을 정해 길을 떠났다.

이야기를 멈추고, 열흘 정도 지나 형주에 도착해 소식을 알렸다. 형주의 왕 유표는 성 밖에 나와 선주를 맞이해 성 안으로 데리고 가 여관(館驛)에서 쉬게 했다. 형주의 왕은 연회를 열고는 말했다.

"황숙이 이곳에 올 줄을 몰랐소. 지금 형주에는 황실 친척이 없는데, 내가 이제야 황숙, 관우, 장비를 만나 내 팔(肘膊)이 된 것 같구려."

그 곁에는 황제의 장인(皇丈) 괴월(蒯越), 채모(蔡瑁), 두 사람이 있었는데, 내심 불만이 있었다. 형주의 왕이 안으로 들어가자 관리들은 모두 흩어졌다.

괴월과 채모가 함께 모의했다.

"지금 유선주(劉先主, 유비)가 우리의 권력을 빼앗으려 하는데, 어떻게 제거해야 겠습니까?"

채모가 말했다.

“밖으로 보내버리는 게 적당한 것 같습니다.”

두 사람은 왕(王, 유표)을 알현해 아뢰었다.

“지금 신야(新野)에 태수가 비어있다 하는데, 조조군이 신야를 먼저 취하고 이후에 번성(樊城)을 공격하면 어찌하기 어려울 것입니다. 황숙, 관우, 장비가 신야를 수비하도록 태수로 임명해 진압하도록 하면 조조가 감히 국경을 침범하지 못할 것입니다.”

형주의 왕은 아뢴 대로 하기로 하고, 두 사람에게 시켜 자신의 뜻(聖旨)을 황숙, 관우, 장비, 세 사람에게 전해 날을 정해 떠나도록 했다. 두 사람이 말했다.

“먼저 저희 관우, 장비, 두 장군이 가족들과 떠나고, 황숙께서는 쉬시고 나서 오십시오 내일 3월 3일에 강가(河梁)에서 연회를 하고 나서 출발해도 늦지 않을 겁니다.”

선주는 과연 가지 않고 두 장군이 처자식들과 함께 먼저 갔다.

한편, 두명의 황제의 사위들(皇丈, 괴월, 채모)은 선주를 도모할 계책을 세웠는데, 두 사람이 모의한 것은, 황숙을 연회에 초청해 술이 절반 정도 돌고 나면 장사(壯士)를 시켜 죽이려 한 것이었다. 두 사람은 그렇게 하기로 계책을 정하고 황숙을 초청했다. 3월 3일이 되자 성을 기울게 할 정도로 백성들이 나와 간변에서 연회를 열었다. 괴월, 채모는 황숙에게 양양성(襄陽城) 밖으로 나와 연회에 오도록 청했다.

괴월은 몰래 장사에게 시켰는데, 그 중 한 사람이 황숙을 보고 얼굴이 보름달 같고 용의 콧대와 용의 얼굴을 보고는, 사사로이 황숙에게 가서 귀에 대고 이에 대해 이야기했다. 황숙은 크게 놀라 말을 버드나무 그늘로 가져오게 했다. 황숙은 옷을 입는 척 하며 나가 버드나무 그늘에서 말에 오르자 어떤 사람이 알렸다.

"도망치는 건 황숙이다!"

괴월, 채모는 크게 놀라 말을 타고 군사들과 추격했다.

선주가 하천에 도착하자 단계(檀溪)가 보였다. 선주는 하늘을 우러러 탄식하며 말했다.

"뒤에는 적병이 있고, 앞에는 큰 물이 있어, 내가 이 물에서 죽겠구나!"

선주의 말은 적로마(的盧馬)라 불렸는데, 선주는 말을 만지며 말했다.

"내 목숨이 너에게 달렸고, 네 목숨은 물에 달렸구나. 너와 나가 같은 운명이니 이 물을 뛰어넘어라!"

선주는 채찍으로 말을 치며 용맹을 떨치며 단계의 물을 건넜다. 괴월과 채모는 쫓아가다가 선주가 단계를 건너는 걸 보고 말했다.

"참으로 천자로구나!(真天子也)"

이를 증명하는 시가 있다.

"3월 양양에 푸른 풀이 자라고, 왕의 후손(王孫)이 이끌려 단계(檀溪)에 도착했구나. 적로(的盧)가 어찌 용의 뼈를 묻겠는가. 흐르는 물은 의연하게 큰 둑을 둘러가는구나."

또 이런 시도 있다.

"단계의 두 언덕에 푸른 버들이 길게 솟아있는데, 그 곳을 지나가는 사람마다 적로(的盧)를 기억하는구나. 좋은 말만이 뛰어넘는 것은 아니며, 천자는 100명의 신령들(百靈)이 돕는 것이구나."

한편, 선주는 신야에 도착해 태수가 되어 매일 서서(徐庶)와 함께 연회를 열었는데, 어느 날 서서가 말했다.

"제가 신야를 보니, 머지않아 시체가 산을 이루고 피가 바다를 이룰 것 같습니다."

장비가 믿지 않고 말했다.

"어찌 그렇게 되겠소?"

며칠 되지 않아 허창(許昌)의 길에서 조조가 공의 아들(公子) 조인(曹仁)에게 10만 대군과 수백 명의 명장들로 번성(樊城), 신야(新野)를 차지하게 했다.

황숙이 깜짝 놀라자 장비가 웃으며 말했다.

"선생이 잘 막아낼 겁니다."

서서가 말했다.

"황숙께서는 마음을 놓으십시오. 제가 조백충(曹伯忠)의 갑옷을 깨 돌아가지 못하게 하겠습니다."

그리고는 조운을 불러 귀에 대고 속삭여 계책을 하나 말했다. 그리고 황숙을 남문으로 데려가 말했다.

"이 곳이 길한 땅(吉地)입니다."

선생은 머리를 풀어헤치고 맨발로, 향을 피우고 밥그릇 하나로 제사를 지내자 회오리 바람을 일으켰다. 조운은 군대를 이끌고 성을 다니며 불화살을 쏘자 사방에 모두 불이 일어났다. 조조군은 대패해 불타 죽은 이들이 셀 수 없을 정도였다. 조백충은 천 명도 안 되는 사람들과 도망쳐 돌아갔다. 황숙은 서서에게 연회를 베풀었는데, 연회가 끝난 날 서서가 생각했다.

'내 늙은 어머니가 허창(許昌)에 계시는데, 조공이 내가 조조군의 병사들을 죽인 걸 하면 나를 원망할 텐데, 그러면 어머니와 처자식들의 목숨을 지킬 수 없겠구나!'

이에 선주에게 인사를 올리자 선주가 기뻐하지 않았는데, 서서가 말했다.

"제가 만약 돌아가지 않으면 어머님과 가족들을 지킬 수 없을 것입니다."

선주, 관우, 장비, 세 사람을 서서를 보내며 성에서 10리 떨어진 곳에서 술을 마시고 이별했는데, 헤어지는 걸 바라지 않았다. 다시 10리 떨어진 곳에서 술을 마시고 이별했다. 선주는 잊지 못하는 마음에 물었다.

"선생은 언제 다시 돌아오시오?"

서서가 말했다.

"소생은 아주 형편없는 사람으로 마음에 두실 만하지 않습니다. 오늘날에는 두 사람이 있는데, 그들은 여망(呂望, 태공망)의 병서를 익혔고, 앉아서 손바닥을 펴듯 천리 밖을 승리로 이끌고, 천하를 노릴 만 한 사람입니다."

선주가 물었다.

"그 사람이 누구요?"

서서가 말했다.

"남쪽에는 와룡(臥龍, 누워있는 용)이 있고, 북쪽에는 봉추(鳳雛, 봉황의 새끼)가 봉추는 바로 방통(龐統)입니다. 와룡은 바로 제갈(諸葛)인데, 남양(南陽) 와룡강(臥龍岡)의 한 초가집(茅廬)에 있습니다. 그의 이름은 량(亮), 자는 공명(孔明)인데, 병사를 신처럼 다스리고, 움직임은 귀신(神鬼)같고, 그 능력을 풀어 설명할 수 없어 군사(軍師)로 둘 만합니다."

선주는 이를 듣고 크게 기뻐하며, 서서와 작별하고 신야로 돌아갔다.

며칠 뒤 형제 세 사람은 남양(南陽) 와룡강(臥龍岡)에 제갈(諸葛)을 만나기 위해 갔는데, 이에 대한 시가 있다.

"말 한마디로 국가(家國)를 세우는 걸 도울 수 있고, 좋은 글귀를 말하면 큰 나라(大邦)를 세울 수 있구나. 북쪽에서 멀리 황금 봉황의 꼬리(金鳳尾)가 보이는데, 남쪽을 향해 보니 복룡강(伏龍岡)이 보이는구나."

그 이야기를 시작해보면, 중평 13년(中平, 196) 봄 3월, 황숙은 3천의 군사를 두 형제와 이끌고 남양(南陽) 등주(鄧州) 무탕산(武蕩山) 와룡강(臥龍岡) 암자 앞에 가 말을 내려, 암자 앞에서 사람이 나오길 기다렸다.

한편, 제갈 선생은 암자 안에서 무릎 꿇고 앉아, 얼굴에는 분을 바른 것처럼 희고, 입술에 붉었고, 나이는 서른이 되지 않았고, 매일 책을 읽었다.

"암자 앞에 3천의 군사가 왔는데, 그 우두머리는 신야 태수로 한나라 황숙 유비라 합니다."

선생는 말없이 동자의 귀에 대고 작은 소리로 말하자, 동자는 암자를 나와 황숙에게 말했다.

"저희 사부님(師父)께서는 어제 강 하류로 가셔서 여덟 뛰어는 분들(八俊)과 식사자리를 하러 가셨습니다."

황숙은 말없이 생각했다.

'이 사람을 만나지 못하다니.'

그리고는 사람을 시켜 먹을 진하게 갈아 서쪽 담장 위에 시를 한 수 남겼는데, 시는 이와 같다.

"홀로 푸른 난새(青鸞)를 넘어 어느 곳으로 날아가셨는가, 신선들(仙子)과 영주(瀛洲)에 모이러 가셨는가. 그대를 찾아왔지만 만나지 못하고 돌아가니, 들판의 풀과 꽃들이 근심으로 가득 차는구나."

태수(太守, 유비)는 다시 신야로 돌아갔다.

8월이 되어 현덕은 다시 제갈량의 초가집을 찾아가 암자 앞에서 말에서 문을 두드리게 했다. 와룡(臥龍)은 다시 동자에게 나가서 말하라 했다.

"저희 사부님은 산과 강을 유람하러 가셔서 돌아오시지 않았습니다."

선주가 말했다.

"나는 자방(子房, 장자방, 장량)이 피신해 이교(圯橋)에서 황석공(黃石公)을 만나 서너번 신발을 바쳐, 마침내 3권의 천서(天書)를 얻었던 것을 생각하고 있네. 그리고 서서가 복룡(伏龍)은 자신보다 만배 뛰어나 천하를 손처럼 다룬다 한 말을 생각하네."

황숙은 술에 취해 답답해하며, 다시 서쪽 담장에 시를 한 수 적었는데, 시는 이와 같다.

"가을 바람이 이 곳에 불어오니 구름은 흩어져 하늘은 낮아지고, 비와 이슬이 내리자 나뭇잎이 시들고, 종종 모래 위로 기러기가 나는구나. 푸른 하늘은 한 가지 색 뿐이네, 가는 길을 다시 재촉하네. 헛되이 보낸 20년, 검과 갑옷이 몸을 떠나지 않는구나. 홀로 신야군으로 걸어

가니 상심한 마음은 식지 않고, 지식인(知者)을 열 번 찾아갔지만 만나지 못하고 다시 헛되이 돌아가는구나. 나는 관우, 장비와 도원결의한 때를 생각하는데, 고향에서 만 리 떨어져 구름과 같은 꿈은 천 개의 산에 막혀있구나. 뜻(志心)을 세울 곳이 없어 엎드려 영웅에 의지하려 하지만, 와룡과 만나지 못하고 구차하게 다시 돌아가는구나.”

황숙이 관리들과 함께 말에 올라 신야로 돌아가려 하자 장비가 크게 소리쳤다.

“형님은 잘못 하신 겁니다! 호관(虎關)과 소패(小沛)에서 세 번 나와 싸운 걸 보십시오. 우리 형 관공은 안량(顏良)을 찔러 죽이고, 문추(文醜)를 쫓아내고, 채양(蔡陽)을 베고, 차주(車胄)를 습격했는데, 이 당시는 (공명) 선생은 있지도 않았습니다. 제가 100근(斤)의 큰 칼을 가지고 선생과 이야기 해보겠습니다!”

황숙은 답하지 않았다.

한편, 제갈이 말했다.

“나는 어떤 사람이길래 태수가 몇 번이나 날 찾아왔는가? 내가 보니 황숙은 제왕의 모습이 있는데, 양쪽 귀는 어깨에 닿고 손은 무릎을 지나고 있고, 또 서쪽 담장에 쓴 시를 보니 무리를 이룰 뜻을 가지고 있구나."

이러한 시가 있다.

"세상은 혼란해지고 영웅은 백번을 싸우는데, 공명은 이 곳에서 노래하고 농사짓는구나. 촉의 왕이 세 번 찾지 않았다면, 선생이 옛 초가집을 나올 수 있었겠는가?"

이야기를 시작하자면, 선주는 1년 4계절 동안, 세 번이나 초가집에 찾아가 와룡을 만나려 했지만 만나지 못했다. 제갈은 원래 신선(神仙)과 같아 어릴 때부터 학업을 하여 중년이 될 때까지 읽지 않은 책이 없었고, 하늘과 땅의 법칙에 통달해 귀신(神鬼)도 그 뜻을 헤아리기 어려웠다. 그는 바람을 부려 비를 내리게 하고(呼風喚雨), 콩을 뿌려 병사를 만들고, 칼을 휘둘러 강을 만들었다. 사마중달(司馬仲達, 사마의)이 그에 대해 증언한 적이 있다.

"쳐들어오면 막을 수 없고, 공격하면 지킬 수 없고, 포위 할 수 없어, 사람(人)인지, 신(神)인지, 신선(仙)인지 모르겠구나."

지금 서서의 추천을 받아 선주가 뜻을 가지고 두 번 실패했지만, 다시 초가집으로 향해 갔다. 선주는 관우, 장비 두 동생과 군대를 데리고 암자 앞에서 말에서 내렸지만 감히 다시 부르지 못했다. 잠시 후에 동자 하나가 나오자 선주가 물었다.

"사부님은 안 계시느냐?"

동자가 말했다.

"사부님은 문서를 보고 계십니다."

선주와 관우, 장비는 곧바로 집으로 가서 초가집 아에서 예를 갖추었지만 제갈이 여전히 책을 보고 있자, 장비가 화내며 말했다.

"우리 형님은 한나라 조정 17대, 중산정왕(中山靖王) 유승(劉勝)의 후손인데, 지금 암자 앞에서 허리를 굽히고 계신데 우리 형님에게 거만하게 구느냐!"

운장이 이를 말리고 꾸짖자, 제갈이 눈을 보고 암자를 나와 만나 예를 마치고는 제갈이 물었다.

"귀하신 분이 어떤 분이십니까?"

현덕이 말했다.

"저 유비, 한나라 조정 17대 현손(玄孫) 중산정왕 유승의 후예, 신야태수가 뵙겠습니다."

제갈이 듣고는 황숙을 암자 암으로 모셔 앉히고 말했다.

"제 과실이 아니라 동자가 알리지 않은 것입니다."

선주가 말했다.

“서서가 사부가 행실이 훌륭하다 하고, 병법에 대한 모책과 기략이 강려(姜呂) 같다 했습니다. 4계절 동안 세 번 찾아왔는데, 사부가 초가집을 떠났다 했었는데, 그대를 스승으로 모시려 합니다.”

제갈이 말했다.

“황숙께서는 역적 조조를 멸망시키고, 한나라 황실을 다시 부흥시키시려는 것입니까?”

현덕이 말했다.

“그렇습니다.”

또 말했다.

“제가 듣기로 조고(趙高)는 권력을 농단하고, 동탁(董卓)이 위세를 부렸으며, 조조는 간사한 영웅이고 헌제는 나약합니다. 이 때문에 천하는 오래지 않아 패자(各霸)가 주인이 될 것입니다. 저 유비는 이 때문에 선생을 찾아와 암자를 나와 조조를 치고, 하나의 군이 있는 곳에서 몸을 지키려 합니다.”

제갈이 말했다.

“환제(桓)와 영제(靈)는 정권을 잃고, 백성들은 생업을 잃고, 역적과 간신들은 금문(金門)에서 제위를 빼앗으려 하고, 현명한 사람들(賢人)을 산과 들로 내쫓고 있습니다.

아아(嗚呼), 그리고 조맹덕(曹孟德)은 100만의 병사들과 맹장 100명을 거느리고 천지를 끼고 세력을 부리고 있어, 제후들 중 두려워하지 않는 이들이 없습니다. 손중모(孫仲謀, 손권)은 장사(長沙)의 산과 강의 형세를 근거로 나라는 부유하고 백성들은 교만하고, 아버지와 형 3대에 거쳐 가업을 이어 그 강에서는 100만의 군사도 대적할 수 있습니다.

그러나 황숙은 병사가 만 명에도 미치지 않고 장수도 백 명도 안 됩니다. 인의(仁義)에 기대고 호걸들(豪傑)을 갖추었지만, 황숙께서 천하를 일으키시려면 먼저 형주(荊州)를 빌려 기반으로 삼고(本), 나중에 서천(西川)을 도보해 이익을 얻어야 합니다(利). 형초(荊楚, 형주)라는 곳은 북쪽에 큰 강이 있고, 남쪽에는 남만(南蠻)이 있고, 동쪽에는 오, 회계(吳會)가 있고, 서쪽엔느 파(巴), 촉(蜀)이 있으며, 또한 그 백성들은 굶주린다고 들어본 적이 없습니다.

유장(劉璋)은 나약한 군주라 군사를 일으키기만 하면 금방 얻을 수 있습니다. 그 뒤에 관중(關)과 대치하며 익주(益)를 막고, 동쪽의 검관(劍關)으로 가고, 관서(關西)를 차지해 그 땅을 평정하면, 백성들이 밥그릇과 호리병을 들고 맞이하지 않겠습니까?”

황숙은 공명을 얻은 게 물고기가 물을 만난 것 같아, 세상을 제패할 만하고 굳세고 뛰어나다 했다. 이에 하늘의 시기(天時), 땅의 이점(地利), 사람의 화합(人和), 세 나라가

각자 덕을 다투고 사직(社稷)을 세우게 되었다.

현덕은 제갈을 군사(軍師)로 삼고, 제갈은 초가집을 나왔는데, 이 당시 그의 나이 29세였다. 제갈이 암자를 나와 신야로 가자 매일 연회를 열었는데, 어느 날 황숙이 군사 교련에 대해 묻자 제갈이 말했다.

"군사를 교련할 때에는 만약 령을 어기는 자는 베어야 합니다!"

장비는 원래 공명을 얕보는 마음이 있어 계단 아래에서 크게 외쳤다.

"황숙께서는 그리하지 마십시오! 소를 기르는 촌뜨기가 어찌 군령(軍令)을 내린단 말입니까!"

관공이 손으로 입을 틀어막고 말했다.

"장비, 이 거친 녀석! 황숙께서는 군사를 태공망(太公)처럼 대하신다."

선주가 말했다.

“내가 공명을 얻은 건 물고기가 물에 들어간 것 같네.”

황숙은 제갈을 관아 안으로 들어오게 하고 매일 연회를 열었다. 한 달 정도 지난 뒤에 어떤 이가 보고했다.

“조조가 하후돈을 원수로 삼아 10만의 군대로 신야를 차지하려 합니다.”

장비가 큰 소리로 외쳤다.

“황숙께서는 공명을 얻은 게 물고기가 물을 얻은 것 같다 하셨지요. 저는 무예가 거칠고 둔해 군사께서 응당 잘 하시겠지요!”

그 즉시 제갈이 관공에게 말했다.

“그대는 계책 하나 받으시오.”

그리고는 조운에게 령을 내렸다.

"그대도 계책 하나 받으시오."

관리들이 모두 계책을 받자 장비가 말했다.

"군사는 저를 쓰지 않습니까? 저는 어떻게 해야 좋겠소?"

군사가 사납게 말했다.

"장군도 계책을 하나 받으시오."

장비가 계책을 받아가자 제갈이 말했다.

"장비, 그대는 원래 마음을 써야 하오!"

군사는 3일이 되지 않아 관리들이 모두 흩어졌다.

한편, 하후돈은 신야에서 30리 떨어진 곳에 진영을 세우고 신야를 정탐시켰다. 한 달이 되기 전에 북소리가 들리고, 어떤 사람이 원수에게 말했다.

"군사(軍師, 제갈량)이 산꼭대기 위에서 황숙과 함께 자리를 깔고 놀고 있습니다."

하후돈이 말했다.

"촌뜨기가 나를 기만하는가!"

그리고는 5만의 군대를 이끌고 높은 언덕 아래로 갔다. 하후돈이 남쪽을 향해 가자 그 곳에 있던 관리들이 황숙 군사를 데리고 서쪽 벽으로 달아났다. 언덕 위에서 돌덩어리와 통나무로 굴리자 하후돈은 말에서 내려 멈추었는데, 등 뒤에서는 두 장수가 맨 뒤쪽을 죽이고 있었다. 그리고 그들을 가로지르는 3천의 군사들과 함께 조운이 나타났다.

하후돈은 진영으로 돌아가려 했지만, 마구(馬垢), 유봉(劉封)이 목책을 빼앗자 하후돈은 북쪽으로 달아났다. 날이 저물자 한 옛 성(古城)에 도착해 정탐해 보라 하자 그가 말했다.

"성 안에는 군량과 마초, 대군, 소와 가축 같은 물건들이 많습니다."

사람들이 모두 말했다.

"하후돈 장군이 신야에 보낼 군량이라 전투에서 다시 져서 다시 돌아온 것이구나."

하후돈의 군대는 성 안으로 들어가 관아로 가서 말에서 내렸다.

원수(元帥, 하후돈)는 밥을 짓게 했는데, 밥이 다 되어 먹으려 하자 복병이 사방에서 나타났다. 하후돈은 도망치려 했는데, 병사들이 흩어져 100가지 계책을 써 보았지만 진영에서 싸우게 되었는데, 부상당한 사람들이 셀 수 없이 많았다. 하후돈이 말했다.

"이는 분명 소 기르는 촌뜨기의 계책이구나!"

그의 병사는 3만 명도 되지 않았고, 동쪽으로 갔다. 옛

성에서 30리 되는 곳에 갔을 때, 하늘은 대략 반 쯤 밤이 된 뒤였는데, 단계(檀溪)에 까지 가자 관리들은 말에서 내렸다. 하후돈은 다시 사람과 말이 지쳤다며 밥을 짓게 하자, 관리와 병사들은 모두 위를 보며 누웠다.

밥이 지어지고 원수에게 주려고 할 때, 관리들이 순간 말소리를 들리더니 천둥 같은 소리가 들렸다. 어떤 이가 하후돈에게 보고했다.

"단계의 물이 흘러 내려오고 있는데, 그 모습이 마치 흰 구름 같습니다!"

원수는 높은 곳으로 가라 했는데, 죽은 사람과 말들이 물에 휩쓸려가는 게 보였다. 원수는 슬피 울고 그 군사는 만 명이 되지 않았다.

날이 밝자 하후돈은 북쪽으로 향해 단계의 다리 하나에 도착했는데, 그 다리는 동쪽과 남쪽을 잇는 다리였는데, 북쪽을 통과해 가려 했다. 그 때 복병이 갑자기 나타났는데, 뒤쪽에는 간헌화(簡獻和, 간옹), 앞쪽에는 관공이었다. 하후돈은 진영을 통과하려고 병사들을 보았다. 3일 전에 하후돈이 말했다.

"돌덩어리를 맞고, 목책도 빼앗기고, 옛 성에서는 죽고, 물에서는 도망가야 겠구나."

하후돈이 말했다.

"군대가 이 지경에 처했으니 나는 허창(許昌)으로 돌아갈 수 없겠구나."

말이 끝나기도 전에 3리도 되지 않는 곳의 버드나무 아래에서 3천 군사들 사이의 한 장수가 술병을 들고 외쳤다.

"제갈과 황숙의 관리들이 이 모든 계책을 세워 이를 따라 내가 이 곳에 있는 것이다. 군사께서는 '하후돈은 패하면 분명 이 길을 통과할 것이오.'라 하셨다."

장비는 말없이 있었는데, 한 사람이 빠르게 와서 알렸다.

"패잔병들이 동쪽으로 올 것인데, 그 군사들은 300명이 안됩니다."

장비가 물었다.

"그게 구구냐?"

"하후돈 입니다."

장비가 웃으며 말했다.

"군사께서는 참으로 대단한 분이구나!"

말을 마치고 장비는 말에 올라 하후돈을 잡으러 달려갔는데, 서쪽 벽에서 싸움이 일어나 하후돈이 대패했다.

한편, 조조는 관청에 앉아 있으면서 관리들에게 물었다.

"하후돈이 10마늬 군사와 100명의 장수를 데리고 번성과 신야를 취하러 갔는데, 3개월 동안 아무 소식이 없구나."

말이 끝나기 전에 가까운 사람이 보고했다.

"하후돈의 군대가 돌아왔습니다."

조조가 물었다.

"승패는 어찌 되었는가?"

낮은 군인이 말했다.

"몇 십 명도 되지 않습니다."

조조가 크게 놀라 하후돈이 돌아와 만나보니 피로 갑옷이 더럽혀져 있고, 몸은 중상을 입고 있었다. 하후돈이 고개를 숙이고 엎드려 말했다.

"가족은 용서해 주시고, 저는 죽여주시옵소서."

하후돈이 다시 말했다.

"10만의 군대를 잃고 다섯 장수가 죽고, 불에 타고 물에 잠겨, 이후에 장비를 만나 죽고 패했습니다. 이 모든 게 제갈 촌뜨기의 계책이었습니다."

조조가 이 말을 듣고 크게 화냈다.

"하후돈을 끌어내 게단 아래에서 베어라!"

그러자 한 사람이 크게 외쳤는데, 말이 끝나기도 전에 조조가 보았는데 서서였다.

"승상께 아뢰옵니다. 하후돈은 현재 왕의 용맹을 지닌 사람입니다."

조조는 제갈이 어떤 사람인지 묻자 서서가 말했다.

"그 사람은 하늘의 뜻을 헤아리고, 천하를 손의 열 손가락으로 볼 수 있는 사람입니다. 하후돈이 목숨을 건진 것은 그가 명장이었기 때문입니다."

조조가 웃으며 말했다.

"나를 그 촌뜨기가 상대할 수 있겠는가. 내가 맞는지 서서가 맞는 지 가려보자. 나는 100만의 군대, 천 명의 명장을 데리고 번성과 신야를 쳐부수고 형주까지 손에 넣겠다!"

그리고는 즉시 군대를 모았다.

한편, 황숙은 군사와 관리들을 모아 신야 관아 안으로 가서 음악을 즐겼는데, 어떤 이가 와서 보고했다.

"조공이 100만 대군, 1000명의 명장을 이끌고 멀리서부터 번성, 신야로 오고 있습니다!"

그러자 황숙이 크게 놀라 군사에게 어떻게 해야 좋을지 묻자 군사가 말했다.

"간단한 일입니다."

그는 즉시 동남쪽으로 편지를 써 형주에 보내 유표에게 보이고 군사 30만 명을 빌리려 했다. 그날 밤 편지가 갔고 날이 다시 밝았는데, 형주의 왕(荊王, 유표)이 사망했고, 이제 형주에 형주의 왕은 둘째 아들 유종(劉琮)을 군주로 세운다 했다. 황숙의 눈에서 눈물이 흘렀다. 다음날 조조의 병사가 가까이 왔다 알리자 황숙이 제갈에게 물었는데, 군사(軍師, 제갈량)가 말했다.

"이 곳은 조조를 막을 만한 땅이 아닙니다."

제갈은 황숙에게 도망칠 것을 권했다. 그 날 밤 2경(二更, 9~11시)에 여러 관리, 군사들이 모두 달아나 형주성 아래에 도착해 문을 두드리자 유종이 성위에 있었는데, 황숙이 울부짖었다.

"집안의 아버님께서 돌아가셨는데, 어찌 내게 알리지 않았습니까?"

괴월이 말했다.

"형주의 왕이 돌아가시자 유기(劉琦)가 반란을 일으켜 둘째 아들(유종)의 자리를 차지하려 했는데, 황숙 현덕께서 모르신 것이오."

황숙이 다시 말했다.

"조조가 100만의 군대를 이끌고 오는데, 성 앞까지 3일이 걸리지 않을 테니, 문을 열어주시오. 조공의 수군이 오는데 지금 네 명의 장수들이 해안가 위에서 맞이해야 합니다. 지금 관우, 장비 두 장수, 그리고 제갈 군사도 있습니다."

유종이 말했다.

"형주는 좁은 곳이라, 감히 황숙께서 계실 곳이 아닙니다."

괴월이 높이 소리쳤다.

"이 성문을 열지 않을 것이오!"

현덕은 이에 번뇌했다.

다음날, 형주에서 40리 떨어진 곳에서 큰 숲으로 갔는데 물어보니 답했다.

"이 곳은 형주의 왕의 무덤입니다."

현덕은 술, 음식, 과일을 그릇에 담아 제사를 지내고 그곳에서 통곡하자 군사가 황숙에게 알렸다.

"조조의 병사들이 가까이 있습니다."

다음날, 현덕은 뒤쪽에서 시끄러운 소리를 들어보니 이를 물어보자 하급 병사가 보고했다.

"이는 번성(樊城), 신야(新野)의 백성들이 황숙을 따라오는 것입니다."

현덕이 물었다.

"백성들이 왜 따라오는가?"

그 안에서 한 사람이 말했다.

“황숙께서는 인덕(仁德)을 갖추신 분인데, 조조의 병사들이 이미 도착해 사람들을 죽이는 데 이는 셀 수 없을 정도입니다. 저희 백성들은 황숙을 따르기로 했으니, 비록 죽는다 해도 후회하지 않겠습니다.”

황숙이 말했다.

“군사들의 속도를 늦추어라.”

황숙의 군대는 백성들과 함께 남쪽으로 향했고, 형주로부터는 3일이 지났는데, 군사가 황숙에게 말했다.

“조조의 병사들이 가까워 가족들은 같이 갈 수 있겠으나, 백성들과 같이 가려면 조조군이 금방 쫓아올 텐데 어찌 하시렵니까?”

현덕은 아무 말도 하지 않았는데, 뒤쪽에서 소란스러운 소리가 들렸다. 현덕이 어찌 된 일인지 묻자 보고했다.

"조조의 군대가 뒤쪽에서 백성들을 죽이고 있습니다."

이에 군대를 세 부대로 나누었다.

한편, 황숙은 백성들을 구하지 못하고 정남쪽으로 도망쳤는데, 하루 뒤에 황숙이 행군 중에 어떤 이가 보고했다.

"조조의 군대가 매우 많습니다."

백성들은 서로 혼란에 빠지고, 군사들이 뒤엉킨 와중에 황숙은 말안장에 기대었다. 군사들로 혼란스러운 와중의 황숙의 처자식들은 어디 있는지 모르게 되어, 현덕은 아무 말도 하지 않았다. 또 10리 정도 간 되어 어떤 이가 황숙에게 보고했다.

"조운이 배반했습니다."

현덕이 말했다.

"어찌 본 것처럼 말하는가?"

황숙은 이를 생각지 않고 다시 길을 갔는데, 어떤 이가 다시 말하자 황숙은 검으로 그 사람의 말갈기를 자르며 말했다.

"또 그런 말을 하면 이 말갈기처럼 베어 버리겠다!"

사람들이 아무 말도 하지 않자 황숙이 말했다.

"내가 원소에게 몸을 맡겼을 때에는 관공이 안량을 베고 문추를 죽였을 때 기주의 왕(원소)에게 조운에게 시켜 나를 죽이려 했지만, 조운은 따르지 않았다.

나 유비와 함께 3년간 있는 동안 과실을 범한 적 없는데, 어찌 배반의 뜻을 가지겠는가!"

다시 3리를 가자 강이 있고 큰 다리가 있었고 산과 언덕이 매우 험한 곳이었는데, 그 곳의 이름은 당양(當陽) 장판(長阪)이었다. 황숙이 당양 장판을 지나자 군사(제갈량)는 뒤돌아보았는데, 그 위에 맹장 한 명과 기병 100기가 있으면 조조의 100만의 병사들도 막을 수 있다 보았다. 공명이 말했다.

"내가 실수했구나! 어제 관공에게 남쪽으로 가서 큰 강에 배를 묶어두라 했는데, 아직도 도착하지 못했구나."

그 때 한 사람이 크게 소리치는 소리가 들렸는데, 알고 보니 장비였다.

"그렇다면 호염공(胡髯公, 관우)보다 장비는 어떻겠습니까?"

군사가 말했다.

"그리고 보니 호로관의 큰 전투에서 크게 활약했고, 소패에서 세 번 출격했는데, 모두 익덕의 공이라 들었소."

한편, 장비는 20명의 병사를 뽑고, 20개의 군기를 가지고 북쪽의 당양 장판으로 갔다.

한편, 조운은 혼자 말을 타고 조조군의 진영 안으로 갔는데, 조운이 말했다.

"전장이 (유비로부터) 100여 리나 떨어져 있지만, 꼭 황숙의 가족을 찾아야겠다."

여러 번 적들을 만나고서는 감부인(甘夫人)을 만났는데, 오른손으로 옆구리를 감싸고 왼손으로는 아두(阿斗)를 안고 있었다. 조운은 말에서 내려 감부인과 조운이 만났는데 눈물 흘리는 걸 그치지 않으며 말했다.

"가족들은 조공의 군대에게 살해당했습니다."

그리고 말했다.

"조운, 그대와 만나 정말 다행입니다!"

오른쪽 옆구리에 화살이 박혀 있었고, 손으로는 튀어나온 장기를 받치고 있었다.

"황숙은 나이가 많지만 바늘을 세울 땅 조차 없습니다.

나는 이제 죽을 것 같습니다! 그대는 아두를 데리고 황숙에게 가십시오."

부인은 말을 마치고 남쪽 담벼락 아래로 가고는 조운과 아두에게 작별 인사를 하고 담벼락 아래로 몸을 던져 죽었다. 조운은 담벼락으로 가서 시신을 덮고는 말했다.

"제가 100만 군대 속에서 주공의 아두를 구해내겠습니다!"

조운은 한 순간 용기를 내어 그 명성이 후대에 그려지게 되었다. 그는 태자를 안고 남쪽으로 달려 적진을 돌파했다.

이후에 그를 기리는 시가 이와 같이 있다.

"훌륭하구나, 조자룡이여. 늠름하게 한 마음으로 충성을 다했구나. 선주는 형주에서 패하고, 가족 또한 찾지 못했구나. 한 평생 죽음을 두

려워하지 않고 다시 호랑이 늑대 속으로 뛰어 들었구나. 충효로 약한 아이를 보호해 100만의 영웅도 상대하는 구나. 춘추시대(春秋)에 오자서(伍相)가 있다면, 한나라 시대에는 자룡이 있구나. 지금 천년이 지난 이후에도 누가 그 높은 기풍을 우러러보지 않겠는가?"

한편, 조조는 높은 곳에서 이를 보고 말했다.

"분명 저 자는 유비 수중의 관리일 것이다!"

그리고는 관리들에게 조운을 잡으라 했다. 우두머리였던 관정(關靖)이 조운을 가로막자 조운은 칼을 휘두르고 말을 몰아 곧바로 적진을 통과해 앞으로 갔다. 다리 위로 가자 말굽이 빠지자 주인과 신하(君臣)의 머리가 땅에 닿았다.

뒤쪽의 관정이 다가오자 조운은 단단한 활(硬弓)을 써서 화살 한 발을 쏴 관정을 죽였다. 조운은 태자를 데리고 말에 올라 다시 태자를 안고 남쪽으로 달렸다. 당양 장판에서 몇 리를 달려 장비를 만나자 장비가 말했다.

"태위(太尉, 조운)가 아두를 구하셨구려!"

조운이 말했다.

"황숙의 가족과 두 부인은 모두 죽고 태자만 남아 데리고 황숙을 뵈러 왔소."

장비가 울며 말했다.

"나는 대장부로서 황숙을 만나게 되면 말씀드려 주시오 당양 장판을 막아 그대를 반드시 탈출시키겠소."

조운은 남쪽으로 가서 황숙을 만나 예를 마치고 말했다.

"감부인과 미씨는 모두 조공에게 죽었습니다. 전란 중에 태자만 구할 수 있었습니다."

조운이 안고 있던 태자를 황숙에게 보여주자 황숙은 태자를 받고는 땅에 던졌다. 관리들이 모두 놀라 황숙에게 이야기하자 현덕이 말했다.

"이 아이가 뭐라고, 내 훌륭한 장수 조운과 비교하겠소!"

황숙은 말을 마치자 모두 그 훌륭함을 칭찬했고, 황숙은 남쪽으로 향했다.

한편, 장비는 북쪽의 당양 장판으로 갔다. 장비는 병사들에게 50개의 깃발을 북쪽 언덕 높은 곳에 일자로 펼쳐 세우게 하고는, 20명의 기마군은 남쪽 강을 보고 있었다. 조공의 30만 군대가 도착하자 장비가 말했다.

"장군(尊重)께서는 왜 숨지 않으십니까?"

장비가 웃으며 말했다.

"나는 군대는 보지 않는다. 조조만 볼 뿐이다."

그리고는 말 위에서 크게 소리쳤다.

"내가 바로 연인(燕人) 장익덕이다. 누가 감히 나와 죽음을 무릅쓰고 싸우겠느냐!"

그 소리는 천둥같아 귀를 꿰뚫어 다리가 모두 끊어졌다. 조조군은 30여 리를 물렸다. 익덕의 사당에는 이런 찬사가 있다.

"선생(先生)이 왕이 되려 해, 솥 발이 셋으로 나뉘어 솥이 끓어 넘치는 것 같구나. 다리를 막아 병사들을 물리고 위엄있는 목소리는 강을 끊는구나. 제후들은 두려워하고 병사들을 아홉 방면으로 도망치는구나. 신과 같이 늠름하니 패자(霸者)의 기운이라 하겠구나."

한편, 장비는 황숙을 쫓아가 늦게 황숙을 만났는데, 무후(武侯, 제갈량)가 말했다.

"진정한 장군이군요! 깃발을 통해 조조의 군대를 쫓아냈기에 주공께서 50리를 갈 수 있었습니다. 조조는 분명 제 계책에 빠졌습니다."

황숙이 기뻐했다.

다음 날, 군대가 오나라 땅을 지났는데, 명장이었던 노숙(魯肅), 자는 자경(子敬)인 자가 나타나 물었다.

"저는 멀리까지 형주까지 와서 형주의 왕(유표)의 조문을 드리려 합니다. 황숙은 어쩐 일이십니까?"

제갈이 말에서 내려 노숙을 만나 서로 인사하자 노숙이 크게 놀랐다.

"어찌 와룡(臥龍, 제갈량)이 유비에게 몸을 의탁했소!"

제갈이 말했다.

"그대는 모르겠지만, 조조의 100만 군대가 형주에 도착했고, 유종은 역적 조조에게 항복해 이제는 오나라를 삼킬

뜻을 가지고 있소. 노숙 그대의 생각은 어떻소? 황숙께서는 남쪽으로 강을 건너 오나라로 가 집안 형님인 유벽(劉璧)을 만나시려 합니다."

노숙은 말없이 생각했다.

'유벽과 우리는 서로 잘 아는데, 황숙과 제갈은 우리 주공에게 몸을 맡기려는 것인가.'

조조는 그날 밤 10여리 앞까지 와서 진을 쳤다. 노숙은 황숙에게 관리들과 식사에 요청했다. 등불 아래에는 황숙, 제갈, 관우, 장비, 조운이 있었는데, 노숙이 말했다.

"관리들 모두 호랑이 같은 장수들이군요."

노숙이 다시 말했다.

"토로장군 손권(孫權)께서 황숙, 군사와 힘을 합친다면 무슨 근심이 있겠습니까?"

노숙은 다음날이 되어 황숙을 큰 강의 한 성으로 맞이했는데, 그 곳 이름은 하구(夏口)로, 강물이 세 면을 두르고 북문만 열려 있었다. 노숙이 말했다.

"음악을 연주하라."

현덕은 성에 며칠간 있었는데, 양식, 술, 고기가 성 안에 얼마나 있는 지 셀 수 없을 정도였다.

노숙은 다음 날 배를 타고 토로장군(討虜將軍, 손권)을 만나러 갔다. 선주는 관리들과 하구의 성 안에 있었는데, 황숙은 제갈에게 편지를 써 남쪽으로 가 손권과 만나게 했고, (제갈량은) 다음 날 하구의 남문 밖에 배에 올랐다. 현덕이 군사와 작별했고, 군사는 조운을 몰래 불러 귀에 대고 작전을 말했다.

노숙은 무후와 함께 배를 타고 강을 건너 멀리 금릉(金陵, 건업)의 관청 안으로 갔다. 제갈은 다음날 손권을 만나 관아에 들어가 예를 마치고 말했다.

"조공의 군대는 130만으로 초(楚, 형주) 땅을 빼앗고, 유종을 항복시켜 이후에 오나라를 차지하려 할 것입니다."

그러자 손권이 물었다.

"그대는 어찌 알고 있소?"

제갈량이 말했다.

"현덕께서는 신야, 번성을 잃고 멀리 창오(滄吳)에 가서 유벽(劉璧)에게 의탁하려 하십니다. 이에 현덕께서는 하구에 계십니다."

손권이 말했다.

"제갈 선생에게는 이전에 세 번이나 청했는데 응하지 않고, 지금은 유비에게 몸을 맡기셨구려!"

제갈은 손권에게 편지를 줬는데, 편지를 열어보니 다음과 같았다.

"저 유비는 토로장군 손공 휘하에서 머리를 거듭 조아립니다. 엎드려 말씀드리건데, 태보(台輔)께서는 신명(神明)의 도움을 받았으나 아직 뵙지 못하였습니다. 우러러 들어보니 장군께서는 인덕의 도리를 향하시고, 한나라 황실의 공신으로 아버지, 형에 이어 삼대가 대업을 이으셨습니다. 지금 가슴과 배(心腹)에 근심이 들었는데, 저 유비는 하구에 있지만, 남은 장수들이 얼마 없고 탈출할 계책도 없습니다. 조조는 천자의 위세를 끼고 100만의 병사들을 이끌고 제후들을 죽여 한나라의 천하는 며칠 만에 떨어지려 하고 있습니다.

저 유비는 병사와 장수가 적으니, 장군께서 바람과 번개 같은 위엄 있는 진영으로 도와 주셔서 군과 국의 풀들을 살아나게 해주시고, 백성들은 생업을 이루게 하고 태평하게 해 주십시오. 조조는 간사한 영웅으로 글로는 다 쓰기 어려운 놈입니다. 저 유비는 하구에서 곤란한 상황에 처해 군사를 통해 편지를 써서 드리며 장군께 엎드려 요청 드립니다.

직접 뵈는 것만 못하기에 곧 만나 뵈었으면 합니다. 엎드려 답신을 기다리며, 드리는 말씀을 소중히 여겨주시기 바랍니다."

손권은 황숙의 편지를 읽고 관리들에게 어떻게 할지 물었다. 그러자 두 사람이 같이 나왔는데, 장소(張昭), 오위(吳危)였다.

"황숙은 하구에서 곤경에 빠졌고, 제갈은 강을 건너와 주공을 뵙길 바라고, 편지로 도움을 청하고 있습니다. 주공께서는 조조가 100만의 군사를 통해 형주를 빼앗았다 들으셨습니다. 만약 그가 큰 강으로 온다면 오나라 땅의 관리들이 각각 강을 막는다 해도 조조가 전진하는 걸 막지 못할 것입니다. 유비에게 군사를 빌려주는 건 젖은 고기에 흰 칼을 흔드는 것 같아, 10년이 되지 않아 갑옷을 벗게 될 것입니다."

손권이 어찌서 인지 묻자 장소가 다시 말했다.

"산동(山東), 하북(河北)의 제후들은 모두 조조에게 복종했고, 그와 싸웠던 이들은 모두 패했습니다."

이 때 한 사람이 크게 외쳤는데, 이를 보니 제갈이었다.

"그대 두 사람은 모두 조공의 위엄에 대해 이야기하는데, 그대들은 항복하자는 것이오? 그대들은 조공이 형초(荊楚, 형주)의 땅을 빼앗고 유종을 갈아치워 죄를 뒤집어씌워 죽였다는 걸 듣지 못했소! 그대 두 사람은 괴월(蒯越)과 채모(蔡瑁)의 뒤를 따라 유종처럼 조조에게 항복하자는 말씀이오!"

손권이 크게 놀라 말했다.

"군사의 말이 옳소."

3일간 의논을 했지만 정해지지 않았는데, 갑자기 사람이 와서 보고했다.

"조조의 130만 군대가 하구를 포위했습니다!"

그리고 조조는 특별히 편지를 보내 토로장군이 보도록 사람을 보냈는데, 그 편지는 이러했다.

"고대의 제왕(帝王)이 조정을 다스릴 때 치우(蚩尤)가 반란을 일으켰고, 순왕(舜王)이 제위에 올랐을 때는 묘족의 후예(苗裔)들이 존중하지 않았소. 황제는 무도한 군주가 아니었고, 우순(虞舜)이 어찌 인의 없는(不仁) 군주였겠소?

그러나 반란을 일으키는 신하들은 은혜를 얻고도 의(義)를 저버리고, 하늘과 땅의 분노를 사고, 신의 노여움을 사게 되어, 이 때문에 군사를 일으키고 무기를 들고 갑옷을 입게 되었소.

나 조조는 친히 황제를 아뢰고 황제의 명을 받들어, 100만의 군사들을 몰아 사방의 요사스런 것들을 소탕했소. 하비에서 여포를 죽이고, 하내에서 공손찬을 베고, 청주에서

원담을 멸망시켰소. 변량(汴梁)으로 가서 장무(張茂)를 사로잡았고 낙양으로 가서 공수(孔秀)를 생포했소.

나 조조는 물가에 진을 치고 계곡 사이에 병사들을 배치하며, 천자의 큰 복을 갖추거 위풍을 떨치오. 100만의 군사들을 이끌고 물과 뭍으로 함께 행군해, 수도로 나아가는 것은 바다른 건너 험한 곳으로 가는 것과 같고 오강(吳江)을 패배시키는 건 태산(太山)으로 누르듯 해버릴 것이오. 지금 반역한 신하 유비를 잡으라는 칙명을 받았으니, 토로(討虜, 손권) 그대는 한나라의 충신으로서 유비의 참언을 듣지 마시오.

혹여나 우리에게 맞서 대적한다면 100만의 군사들을 이끌고 가 큰 강을 건널 텐데, 그러면 곤륜산(昆崙)이 불타고, 옥석이 불타게 될 것이오.

지혜나 생각 없은 이들은 모두 참수하고, 용서치 않을 것이오. 한나라 상장군(上將軍) 겸 마보도(馬步都) 원수(元

帥) 정수(正授) 령 대위왕(大魏王) 조조가 토로장군 주변 사람에게 이를 삼가 전달하오."

손권은 편지를 읽자 온 몸에 땀이 흘러 옷이 젖어 무거워지고 털이 곤두섰는데, 장소, 오위가 다시 말했다.

"명장들에게 군사를 이끌고 가서 각각 항구를 지키게 하십시오. 그리고 원수 한 명을 임명해 10만의 군대를 주둔시켜 강남에 있게 하면 조조군도 넘어올 수 없을 것입니다. 그리고 한나라 황숙과는 교류하지 마십시오."

그러자 제갈이 크게 놀랐다.

"만약 군사를 일으키지 않으면, 하구에 계신 주공은 끝날 것입니다!"

말을 마치고는 옷자락을 걷어 올리고 칼을 들고 계단으로 가서 사자를 죽이자, 관리들이 모두 소란스러워졌다. 장소와 오위가 말했다.

"이제야 제갈이 간사하고 교활한 걸(奸猾) 알겠구나! 이 일을 아는 자는 제갈이 조조의 사신을 죽였다 알 것이고 오나라의 군대가 죽였다 알지 않을 것입니다."

그리고는 사람들에게 제갈을 잡으라 명하자 제갈이 소리쳤다.

"토로께서는 잘 못하고 계십니다! 조공이 가져온 문서를 장군께서 다시 보십시오. 그러면 천하의 제후 10명 중 조조에게 죽지 않은 이가 한 두 명이라는 걸 아실 겁니다. 저희 주공께서는 고조 17대손으로 중산정왕의 후예인데, 어찌 죄가 있겠습니까? 만약 조조가 황숙을 죽이러 오면 분명 장강과 오나라의 땅도 거두려 할 것입니다. 장군께서는 잘 생각해 보십시오."

노숙이 말했다.

"주공께서는 천하 사람들의 말을 들어보지 않으셨습니다. 이 자를 죽이는 건 헌제를 따르는 게 아니고, 나라의 존망은 모두 조조에게 달려 있습니다."

손권이 말했다.

"대부(大夫)의 말이 옳네."

그리고는 제갈을 놓아주라 했다.

그날, 날이 늦어 손권은 노숙과 함께 태부인(太夫人, 손권의 어머니)을 뵈었다. 부인은 두 사람을 맞이해 손권과 이야기했는데, 손권이 말했다.

"제갈이 군사를 빌려 하구의 황숙에게 가려 합니다."

또 말했다.

"조승상(曹相, 조조)은 130만의 군대를 이끌고 북쪽 강변에 있습니다."

태부인이 말했다.

"너희 아버지는 열여덟의 제후들을 통솔해 호로관 아래에서 크게 싸웠던 걸 듣지 못했느냐? 너희 아버지의 영웅적 모습을 보지 못했느냐? 지금 조조가 천자의 위세를 끼고 제후들을 억압하고 있으니, 급히 항구로 가서 황숙을 구하고 후세에 이름을 알리도록 하거라. 너희 아버지는 임종할 때 '급한 일이 있으면 주유(周瑜)를 원수로 삼고, 황개(黃蓋)를 선봉으로 삼으라.'고 했다. 그러면 조조군을 물리칠 수 있지 않겠느냐."

손권이 말했다.

"어머님의 말씀이 맞습니다."

노숙은 돌아가서 이 이일 제갈에게 이야기하자, 제갈은 크게 기뻐했다. 다음날 해가 밝아오자 손권이 다시 말했다.

"이 일은 어떡해야겠소?"

장소가 말했다.

"군사를 일으키지 마시지요."

그러자 손권이 검을 꺼내 책상을 내리치며 말했다.

"또다시 군사를 일으키지 말자 이야기하는 자가 있으면, 이 책상과 같이 될 것이다!"

신하들은 이에 감히 다시 말을 하지 못했다. 손권은 예장성(豫章城)에 사람을 보내 태수였던 주유를 불렀지만 주유는 오지 않았다. 손권이 제갈에게 물었다.

"주유가 오지 않는데 어떡해야겠소?"

제갈이 말했다.

"들어보니 교공(喬公)에게는 대교(大喬), 소교(小喬)라는 두 딸이 있다 합니다. 대교는 공자(公子)의 처로 시집갔고, 소교는 주유의 처가 되었는데, 나이가 어리고 얼굴이 매우 아름답다 합니다. 주유는 매일 소교와 짝이 되어 즐거운 시간을 보내는데, 어찌 원수가 되어 오려 하겠습니까?"

손권은 노숙에게 군사와 함께 예장성으로 가게 했다. 한편, 주랑(周郎, 주유)는 매일 소교와 즐거운 시간을 보냈는데, 누군가 와서 알렸다.

"토로(討虜, 손권)께서 임무를 맡겨 관리 한 사람을 보냈는데, 배에 금, 진주, 비단을 실고 와서 태수님께 드린다 합니다." 소교는 매우 기뻐했는데, 주유가 말했다.

"부인은 그 뜻을 헤아리지 못하는구려."

제갈, 노숙이 직접 관청으로 왔는데, 금방 제갈이 도착하자 주유가 물었다.

"당신은 누구십니까?"

제갈이 말했다.

"저는 남양(南陽) 무탕산(武蕩山) 와룡강(臥龍岡)의 원래 이름은 제갈량(諸葛亮)입니다."

주유가 크게 놀라 물었다.

"군사께서는 무슨 일이십니까?"

제갈이 말했다.

"조조가 지금 100만의 용맹한 병사들과 하구에 진을 쳐 오(吳)와 촉(蜀)을 병탄하려 합니다. 저희 주군께서는 곤란해져 도움을 청하러 왔습니다."

주유는 아무 말도 하지 않았는데, 몇몇 어린 시녀들이 소교와 함께 병풍(屛風)에 서 있었는데, 소교가 말했다.

"제갈, 당신의 주공은 하구에서 고립되어 구할 계책이 없어져버려, 멀리 예장까지 와서 주랑께 원수가 되길 청하는 것입니까?"

한편, 제갈은 신장이 9척 2촌에 나이는 막 서른(三旬)이었고, 수염은 까마귀처럼 검고, 손톱은 3촌이었고, 매우 아

름다운 용모였다. 주유는 제갈을 술로 대접하는 걸 마치고 나서 주변 사람들에게 귤을 가져오게 해 금 접시에 담게 했다. 제갈은 옷깃을 추스르고 왼손으로는 귤을 들고, 오른손으로는 칼을 잡았는데, 노숙이 말했다.

"무후(武侯, 제갈량)께서는 존중하는(尊重) 예법을 잃었습니다."

주유가 웃으며 말했다.

"내가 듣기로는 제갈은 출신이 낮아 원래 농사나 지어서 예법에 이숙하지 않을 것이오."

그리고는 스스로 귤을 세 조각으로 나누었다.

공명도 세 조각으로 나누었는데, 한 조각은 크게, 또 한 조각은 그 다음으로 크게, 또 한 조각은 그 다음으로 크게 나누어 은 접시에 담았다.

주유가 물었다.

"군사는 이를 무슨 뜻으로 한 것이오?"

제갈이 말했다.

"큰 것은 조승상(曹相)이고, 그 다음으로 큰 것은 손토로(孫討虜)이고, 또 그다음은 저희 곤궁한 주군인 유비(劉備)입니다. 조조의 병사들의 세력은 산과 같아 누구도 당해낼 수 없고, 손중모(孫仲謀, 손권)께서는 약간만 막을 수 있을 뿐입니다. 저희 주공께서는 병사와 장수가 적어 오나라 땅에 도움을 청하러 왔는데, 원수를 맡지 않으려 하시어 근심입니다."

주유가 아무 말도 없자 공명은 위엄으로 꾸짖었다.

"지금 조조는 군사를 움직여 멀리 장강과 오나라(江吳)를 거두려는데, 이는 황숙의 잘못이 아닙니다. 그대는 아십니까. 조조는 장안(長安)에 동작궁(銅雀宮)을 세워 천하의 아름다운 미인들을 구합니다. 지금 조승상은 장강과 오나라를 얻은 다음에 교공의 두 딸을 잡으려 하는데, 어찌 원수의 명을 받으려 하지 않으십니까?"

주유는 이에 옷을 걷어 올리고는 일갈했다.

"부인은 뒷채로 돌아가시오! 내가 대장부로서 어찌 모욕당하겠소! 즉시 토로(討虜)로부터 원수에 임명받아 조공을 죽이겠소."

주유는 길에 올라 며칠 만에 도착했는데, 손권과 관리들은 주유를 추대해 직인을 주었다. 며칠간 연회를 열고 토로는 로는 주유를 보내, 30만의 군대, 100여명의 명장을 이끌었는데, 군대는 강남의 언덕 위에 주둔했고, 진영은 시상(柴桑)에서 10리 떨어진 곳이었다.

한편, 조조는 주유가 원수로 임명되었다는 소식을 들었는데, 5~7알이 지나지 않아 조공이 물었다.

"강남의 연안에 1,000척의 전선(戰船)이 있고, 그 위에 깃발이 날리는데 이는 분명 주유겠구나."

이에 조조는 10쌍(雙)의 전선을 이끌고, 괴월, 채모와 함께 강의 중심으로 가서 이야기하러 갔다. 남쪽에서는 주유, 북쪽에서는 조조가 와서 대화를 마친 다음에, 주유가 배를 돌려가자, 괴월, 채모가 뒤를 쫓았다. 주유는 돌아와 한 척의 큰 배와 10척의 작은 배를 보냈는네 각각 배마다 1천명의 군사들이 타고 있어 조조군에게 활을 쏘았다. 괴월, 채모는 수천 명에게 쏘게 했다.

한편, 주유는 배마다 장막을 덮었는데, 조조가 화살을 한 발 쏘자 주유는 배의 왼쪽 면이 맞게 하고는, 배를 회전시켜 오른쪽 면에도 맞게 했다. 얼마 후에 배에 만 개의 화살이 꽂히자, 주유는 배를 돌려 갔는데, 배에 꽂힌 수백만 개의 화살을 얻자 기뻐하며 말했다.

“승상, 화살 고맙소!”

조공이 이를 듣고 크게 화냈다.

“내일 다시 싸우겠다. 주유의 배에서 화살들을 되 찾아와라!”

다음날 양 군이 대치하자, 주유가 돌을 날려(炮石) 배를 공격해 조공이 대패했는데, 군사들이 진영으로 돌아가려 하자 조승상이 말했다.

“만약 뭍 위에 있었다면 주유를 이기겠지만, 수면 위에서 교전하면 그러지 못하겠구나.”

조공이 고민하고는 말했다.

“손권에게는 주유가 있고, 유비에게는 제갈이 있는데, 오직 나만 혼자이구나!”

그리고는 관리들과 의논했다.

“누가 군사(軍師)가 될 만하겠는가?”

조공은 소박한 수레 1대와 함께 1,000명이 따르게 하고 관리들과 강으로 갔는데, 거기서 한 신선(仙長)이 거문고를 타며 앉아있었다. 조공이 생각했다.

‘서백(西伯)과 해후(奚侯)는 태공망(太公)을 얻어 주나라(周)를 800여 년간 번성하게 했다.’

조조가 수레에서 내려 만나 수레에 오르라고 하고는 같이 앉았다. 조승상이 물었다.

“사부님(師父)은 강 아래의 8명의 준재(江下八俊)가 아니신지요?”

선생이 말했다.

“그렇습니다.”

조공은 크게 기뻐하며 진영으로 들어가 며칠간 연회를 열었다.

조승상이 물었다.

“사부님, 지금 주유를 어떻게 물리쳐야겠습니까?”

장간(蔣幹)이 말했다.

“주유는 강남(江南) 부춘(富春) 사람으로 저와 고향이 같습니다. 제가 주유와 만나 설득해 병사들을 움직이지 않게 하겠습니다. 그러면 강북의 언덕 하구에서 먼저 유비를 베고 그 다음에 병사들은 남쪽으로 데리고 가 강을 건너 오나라를 차지하면 이길 수 있을 것입니다.”

조승상은 크게 기뻐하며 장간을 강태공(太公), 장자방(子房) 같은 사람으로 보았다. 다음날, 장간은 강을 건넜다. 주유, 노숙, 제갈, 3명과 대화를 나누고 있었는데, 한 사람이 와서 보고했다.

“한 선생이 와서 원수님을 뵙고자 합니다.”

그러자 장간을 진영 안으로 들이고 관리들과 함께 앉히고는 주유가 말했다.

“이별한 지 몇 년이나 되었는데 오늘에야 서로 만나는군요.”

그리고는 말했다.

“저는 집을 나와 명예를 바라는 사람이 아닙니다. 저 주유는 지금 오나라 땅의 원수로 30만의 용맹한 병사들, 100명의 명장들을 이끌고 시상에 진을 치고 있습니다. 선생께서는 두 나라 사이에 옳고 그름을 이야기 하시려 합니까!”

그러자 장간은 한 마디도 대답하지 못했다. 한편, 주유는 술을 들고 관리들에게 말했다.

“조승상이 하구에 130만의 군대를 주둔시켰는데, 만약 더 지체되면 하구는 분명 무너질 것이오. 관리들 중 누가 조조군을 물리칠 계책이 있으시오?”

그 안에서 황개(黃蓋)가 나와 말했다.

“원수께서는 관리 세 명에게 5만 군사를 이끌게 해 몰래 시상에서 강을 건너 물길을 따라 하구의 북쪽 60리의 험준한 곳에 가서 조공의 군량과 마초(糧草)를 향해 가도록 하십시오. 한 달이 되기 전에 조공은 분명 자살하게 될 것입니다. 이 계책을 길을 끊어 ‘군량을 차단하는 계책(斷道絕糧計)’이라 부릅니다.”

주유가 크게 화냈다.

“황계의 계책은 내시(中使)같지 않은가!”

노숙도 계책을 내지 못하고 다른 관리들도 말이 없었다.

“황개는 헐뜯는 말을 하니, 즉시 목을 베어라!”

관리들이 모두 용서를 빌자 큰 몽둥이로 60대를 치게 했다. 그날 밤 원수는 술에 취했고 관리들은 모두 돌아갔다. 장간은 장막 안에서 홀로 말했다.

“아까 전에 주유가 나를 막아 말하지 못했구나.”

그러던 중 황개가 주유를 원망하면서 찾아와 말했다.

"아까 전에 성생님께서 원수에게 사면을 권해주셔서 은혜를 입게 되었습니다."

선생이 말했다.

"주유는 원수를 할 만한 사람이 아닙니다."

황개가 말했다.

"이제 목숨으로 그를 도울 이유가 없습니다."

장간은 주변에 사람이 없는 걸 보고는 조조의 덕을 이야기했다.

"이렇게 멀리 있는데, 어떻게 조공을 뵙겠습니까?"

장간이 말했다.

"조승상은 저를 스승으로 보고 주유를 설득하러 나를 보냈는데, 주유가 나를 막아 말을 못하게 했습니다. 그대(尊

重)는 조승상께 투항 하시겠습니까?"

장간이 말했다.

"장군께서는 이리 근심이 심하고 그 관직이 더해지지 않았잖습니까?"

황개가 말했다.

"군사께서는 모르십니다. 이전에 괴월, 채모가 주유에게 투항한다는 편지를 보냈었습니다."

장간이 크게 놀라자 황개가 말했다.

"원수는 그 편지를 제게 줬습니다."

장간은 그 편지를 보고는 크게 놀랐다.

"이 일을 조승상이 아시면 어쩌겠습니까? 이 편지를 저 장간이 품고 조조에게 가져가서 후환을 없애야 합니다."

황개는 이에 반란을 하려는 편지를 썼는데, 그 내용은 이랬다.

'저는 조조에 투항하며 500의 군량과 마초를 조승상께 드립니다.'

두 사람은 밤늦게까지 이야기를 나누었다. 다음날, 장간을 보내고 장간은 길에 올랐다.

한편, 장간은 배에 올라 날이 늦어 조공의 본진에 도착했다. 다음날 조공을 만나 이 일에 대해 이야기했는데, 조조는 황개의 항복 편지를 보고는 크게 기뻐했다. 장간은 또 괴월, 채모가 주유에게 투항한다는 걸 알리고 그 편지를 조공에게 주자 크게 놀랐다.

한편, 조조는 130만의 군대와 배 위에 있었는데 평지에 있는 것 같아, 조조는 크게 기뻐하며 말했다.

"나는 황개의 덕을 들었는데, 그의 얼굴을 아직 보지 못했다. 만약 그가 오면 나는 반드시 그를 중용하겠다."

우번(于番)은 다시 강남으로 해안으로 돌아와 원수 주유와 만나고 나서, 다시 조조에게 가 황개의 편지를 전달하자, 주유가 말했다.

"큰 일이 이루어지겠구나!"

그리고는 우번에게 관직과 상을 주었다.

원수는 여러 관리들을 모았다. 주유가 말했다.

"조조의 100만의 군대를 깨트릴 때가 왔소. 내가 한 가지 계책을 세우려는데 여러분들의 의견을 모으기 위해 붓을 가져와 각자 손에 글자를 쓰시오. 여러 사람들의 뜻이 같으면 그 계책을 쓰고, 여러 사람들의 뜻이 다르면 다시 논의하겠소."

관리들이 말했다.

"원수의 말씀대로 하겠습니다."

그리고는 손에 먹으로 글자를 썼는데, 여러 사람들이 이를 마치자 병사들에게 나가보라고 했다. 관리들과 원수의 손 안을 보자 모두 '화(火, 불)'라는 글자가 있었다. 그러자 기뻐하지 않는 이가 없었는데, 주유는 눈을 군사(軍師, 제갈량)에게 돌리고는 군사에게 말했다.

"이 계책은 불 빛(火光)을 내는 걸 말하는 것으로, 관중(管仲)의 병법을 쓸 것이오."

그런데 오직 군사의 손 안에만 '풍(風, 바람)'이라는 글자가 쓰여 있었는데, 제갈이 말했다.

"원수께서는 훌륭한 계책을 내셨군요! 그런데 그 날이 되어 불을 붙이려 하는데, 저희 진영은 동남쪽에 있고 조조의 진영은 서북쪽에 있는데, 만약 그 때 바람이 맞지 않으면 어떻게 조조군을 격파하겠습니까?"

주유가 말했다.

"군사는 지금 풍(風)자를 썼는데 왜 그런 것이오?"

제갈이 다시 말했다.

"관리들은 화(火)자를 썼기 때문에 제가 바람으로 이를 도우려는 것입니다."

주유가 말했다.

"바람과 비는 하늘의 음양의 조화(陰陽造化)를 통해 이루어지는 것인데, 그대는 바람을 일으킬 수 있소?"

군사가 다시 말했다.

"하늘과 땅에 세 사람이 제사를 지내 바람을 다스렸습니다. 첫째로 헌원황제(軒轅黃帝)가 풍후(風侯)를 스승으로 삼아 치우(蚩尤)를 항복시켰고, 또 들어보니 순제(舜帝)는 고요(皋陶)를 스승으로 삼아 바람으로 삼묘(三苗)를 억눌렀습니다. 저 제갈량은 도술의 문장을 통해 계책을 쓸 날에 동남풍을 한번 불게 하겠습니다."

그러자 관리들이 모두 기뻐했는데, 주유가 생각했다.

'내 기묘한 계책으로 조조군의 병사들이 갑옷을 벗게 만들어야 하는데, 제갈이 내 공을 탐내는구나!'

관리들이 시끄러웠는데, 문관이 와서 보고했다.

"밖에 선생이 한 명 계시는데, 제갈 승상(諸葛相)을 알고 뵈러왔다 합니다."

그러자 관리들이 밖에서 맞이했다.

한편, 제갈은 그 사람을 보고 계단 위로 맞이해 자리에 앉았는데, 그는 제갈의 사촌 형제(叔伯兄弟)인 제갈근(諸葛瑾)이었다. 연회는 늦게까지 이어지고 관리들은 모두 자리를 떠났다.

주유가 자기 장막 안에 제갈근을 들여 앉히고는 이야기했다.

“그대는 제갈이 무례하다(不仁)는 걸 아시오? 관리들이 모두 화(火)를 적었을 때 혼자 풍(風)이라 적었소.”

제갈근이 대답했다.

“저희 집안의 와룡(臥龍, 제갈량)은 헤아리기 어려운 사람입니다.”

주유가 웃었다.

“조조를 물리치고 유비를 구하면 나는 제갈을 장막 안에 가두겠소!”

말을 끝내고는 자리를 떠났다.

한편, 며칠이 지나 제갈은 강의 언덕 북쪽에서 흙으로 높은 제단을 쌓았다. 한편, 3일 뒤에 황개는 수많은 군량과 마초(糧草)로 꾸미고 배를 세 척 가지고 밖으로 나아갔다. 그 날 주유는 수십 명의 관리들과 수군을 이끌고 하구성 바깥으로 갔다. 황개의 배가 하구에 도착하자 사람을 통해

조조에게 알렸다.

"황개 장군의 군량과 마초가 진영에 도착했습니다."

조조가 웃으며 맞이했다.

이후 군사(軍師, 제갈량)는 군사들이 하구로 갔다고 생각했다. 제갈은 제단 위에 올라 서북쪽을 바라보자 불기운이 보였다. 한편, 제갈은 노란 옷을 걸치고, 머리를 풀어헤치고 맨발에, 왼손에는 검을 쥐고 입을 움직이며 주문을 외웠는데, 큰 바람이 불어왔다. 이에 대한 시가 있다.

> ***"적벽(赤壁)의 시끄러운 병사들은 그야말로 웅장했지만, 당시 사람들은 모두 주공(周公, 주유)을 두려워하는구나. 하늘은 솥의 발(鼎足)이 나중에 셋으로 나누어질 것을 알고 있는데, 이는 황개의 충성에 달려있구나."***

한편, 무후(武侯, 제갈량)는 강을 건너 하구로 갔는데, 조조가 배 위에서 외치는 소리가 들렸다.

"내가 죽겠구나!"

군사들이 말했다.

"모두 장간 때문입니다!"

관리들은 칼로 장간을 난도질해 만 조각으로 만들어 버렸다. 조조는 배에 올라 빠르게 탈출하려 강의 나루(江口)를 벗어나자, 사방의 배 위에서 모두 불길이 치솟아 올랐다. 수십 척의 배 위에서 황개가 말했다.

"역적 조조를 베어 천하를 태산같이 편안히 하자!"

조승상과 관리들은 물에서의 전투를 못해 서로에게 화살을 쏘았다.

한편, 조조는 사방에 불길이 일어 손쓸 새도 없이 급하고, 화살도 서로 쏟아져, 조조는 도망치려 했다. 북쪽에는 주유, 동쪽에는 노숙, 서쪽에는 능통(凌統), 감녕(甘寧), 동쪽에는 장소(張昭), 오위(吳危)가 있어 사방에서 죽을 위기에 처했다. 사관들(史官, 역사가)이 이를 두고 말했다.

"조공의 집안에 오제(五帝)에서 분가한 게 아니었다면 맹덕(孟德)은 탈출하지 못했을 것이다."

조조는 목숨을 건져 서북쪽으로 도망갔으며, 강가에 도착하자 사람들이 조공과 모여 말에 올랐다.

한편, 밤새도록 불타올랐는데, 다음날에도 불길이 있었다. 조조가 돌이켜 보니, 하구의 배의 연기가 온 하늘을 뒤덮었고, 군사들은 일만도 남지 않았다.

조승상은 서북쪽으로 도망쳤는데 5리도 가기 전에 강 언덕에 5천의 군사들과 만났는데, 이에 그를 보니 상산(常山)의 조운(趙雲)이었는데, 관리를 막아 일제히 공격하자 조승상의 군대들이 흩어졌다. 다시 10리를 가자 또 2천의 군사들과 마주쳤는데, 그 우두머리는 장비(張飛)였고 그들을 막아섰다.

한편, 죽음을 뚫고 탈출했는데, 이에 조조는 투구가 비뚤어졌었는데, 가슴을 갑옷을 때리고 안장에 기대 피를 토했다.

날이 저물고 큰 숲에 도착해 조조군은 장막이 없어 진영을 차릴 수 없었다. 뒤를 보니 세 갈래 길로 군사들이 추격해오자 조승상이 말했다.

“앞에 두 갈래 길이 있는데, 그 중 하나는 정북쪽의 형산(荊山)으로 가는 대로이고 형주의 땅으로 이름을 화용로(華容路)라 한다.”

조승상은 또 생각했다.

‘이전에 군대가 당양 장판(當陽長阪)에 갔을 때 장비가

20명으로 막았을 때 우리 군은 전진할 수 없었다. 만약 이 곳에 제갈이 사람을 보내 막으면 군사들과 말이 곤란해져 적들에게 사로잡힐 것이다.'

조공은 화용로로 가기로 해는데, 20리를 가기 전에 500명의 칼로 무장한 병사들이 보였는데, 관장군(關將, 관우)이 가로막은 것이었다. 조승상이 좋은 말로 운장(雲長, 관우)에게 말했다.

"이 조조를 보시오. 그대는 수정후(壽亭侯)라는 관직의 은혜를 입었소."

관공이 말했다.

"군사(軍師, 제갈량)의 엄한 명령을 받고 왔소."

조공이 진을 치려 했는데, 말하던 중 (관우의) 얼굴이 먼지가 날려 조공은 탈출할 수 있었다. 관공이 몇 리를 추격하다 다시 돌아왔다.

(관우는) 동쪽으로 15리를 가기 전에, 현덕, 군사와 만나 조조에 대해 말했는데, (유비는) 관공의 과실이 아니라 하고 사람을 보내 확인하게 했다. 어찌된 일인지 묻자 무후(武侯)가 말했다.

"관장군(關將, 관우)은 인덕이 있는 사람이라 예전에 조승상의 은혜를 입어 그가 도망가게 한 것입니다."

관공은 그 말을 듣고 말에 올랐다.

“주공께 아뢰고 다시 추격하겠습니다.”

현덕이 말했다.

“내 동생은 절조가 단단한(匪石) 성품인데 어찌 그러겠는가?”

군사가 말했다.

“저 제갈이 가보겠으니, 만분의 일의 실수도 없을 것입니다.”

이후에 현덕은 동쪽으로 갔는데, 30리 동쪽에서 오나라 군대가 오는 걸 보게 되었는데, 양쪽이 만나자 이야기를 나누었다.

“이까지 오신 건 주공(周公, 주유)이 아니십니까?”

황숙은 말에서 내려 주유와 만났는데, 주유는 황숙을 만나자 크게 놀라 말했다.

“호랑이를 따르며 용을 구하다니, 언제 태평해 지겠는가!”

말을 마치고 서로 마주했는데, 주유는 왼쪽에, 황숙은 오른쪽에 있었다. 날이 저물 때까지 걷다가 가자 진영으로 돌아갔다.

주유가 생각했다.

‘조조는 나라를 찬탈하려는 신하지만, 내가 보니 현덕도

오뚝한 코와 용의 얼굴을 가졌으니 제왕의 상이구나. 제갈은 이 시대의 인재고 현덕을 보좌해 천하를 끝장나겠구나! 내가 작은 계책을 써서 황숙을 가두고 와룡을 잡아 두 사람만 없어지면 천하는 빠르게 정리 되겠구나.'

노숙이 고개를 끄덕이며 말했다.

"원수의 말씀이 옳습니다."

다음날 날이 밝자 현덕은 연회를 열고 원수 이하의 관리들을 모두 초청했다. 저녁이 되자 주유가 황숙에게 말했다.

"남쪽 강가에 황학루(黃鶴樓), 금산사(金山寺), 서왕모각(西王母閣), 취옹정(醉翁亭)이 있는데 이들은 오나라 땅에서 볼 수 있는 절경(絕景)입니다."

현덕이 가겠다고 하자, 다음날 주유는 황숙과 함께 강을 건너 황학루(黃鶴樓)에 올라 연회를 열었고, 황숙도 강을 건너 황학루에 올랐다. 유비는 서쪽 방면의 훌륭한 경치(勝景)를 보고 크게 놀랐는데, 주유가 말했다.

"남쪽의 100리가 되지 않는 곳에 □□관(□□關)[9]이, 북쪽에 큰 강이, 서쪽에 여지원(荔枝園)이, 동쪽에 집현당(集賢堂)이 있습니다."

관리들과 황숙이 연회를 끝내자 주유가 말했다.

---

9) 해당 글자가 훼손되어 어떤 글자인 지 확인할 수 없다.

“전에 제갈이 강을 건너와 저희 주공인 손권께 좋은 말을 했는데, 반약 저 주유가 아니었다면 어떻게 위기를 면했겠습니까! 제갈이 비록 강하다고는 하나 황숙이 강을 건눌 수 있게 할 수 있었겠습니까?”

황숙은 이를 듣고 크게 놀랐다.

‘술에 취해 속에 있는 말(實辭)을 하는구나!’

한편, 한나라의 진영에서는 조운이 마음이 불안해져 사람을 시켜 제갈, 관공, 두 사람을 돌아오게 했다. 군사가 진영으로 들어오자 황숙이 보이지 않았는데, 조운이 군사에게 장비가 잘못한 일을 이야기하자, 군사는 장비를 베어버릴 뜻을 가졌다. 관리들이 군사에게 용서해 달라 했고, 미축이 같이 간다하며 배로 강을 건넜다.

다시 황학루 위에 있던 황숙을 보자. 황숙은 옷을 갈아입다 종이 한 조각을 찾았는데, 거기는 여덟 자가 적혀있었는데, 다음과 같았다.

‘배부르게 먹고 취했다면 즉시 떠나십시오.(得飽且飽, 得醉即離)’

황숙은 이를 읽고 그 종이를 찢었는데, 주유가 술에 취해 말했다.

“조조는 권력을 농단하고 제후들은 스스로 세력을 만드는구나!”

황숙이 말했다.

"공근(公瑾, 주유) 군대를 이끌면 저 유비가 선봉이 되겠습니다."

주유가 크게 기뻐했다. 황숙은 붓과 벼루를 왼손에 쥐고 짧은 노래(歌) 한 수를 지어 주유에게 주었는데, 그 노래(歌)는 다음과 같다.

"천하가 큰 전란이 일어 유씨 왕조가 망하려 하는데, 영웅이 세상에 나와 사방을 쓸어버리는구나. 오림(烏林)에서 한 번 가마솥 발 중 최강을 하나 멸하고, 한나라 황실이 부흥해 어진 세상(賢良)이 되는구나. 어진 인덕이여(仁德), 아름다운 주랑(周郎, 주유)이여!"

또 이를 예찬하는 노래가 있다.

"아름다운 공근이여, 몇 세대에 한번 날 이가 태어났구나. 오나라를 부흥시키고 패권을 잡아 위나라와 싸우는구나. 오림에서 적을 쳐부수고, 적벽(赤壁)에서 병사들과 싸웠구나. 누가 이처럼 영웅의 용맹을 가지고, 이와 같은 이가 있겠는가?"

주유는 크게 기뻐했다.

“황숙은 훌륭한 재주가 있으시군요!”

주유는 주변 사람들에게 거문고(焦尾)를 가져오게 해 무릎 위에 두고 공자(夫子)의 행단(杏壇)을 연주했다. 거문고 연주가 끝나기 전에 주유는 취해버려 더 연주를 못하자 현덕이 말했다.

“원수가 취했구려!”

다들 뒤엉켜있으며 시끄럽던 사이에 자리에서 일어나, 황숙은 누각 아래로 몸을 감추고 강가로 가자, 강에 있던 사람이 말했다.

“황숙께서는 어디로 가십니까?”

현덕이 말했다.

“원수께서 취하셨네. 내일 날이 밝으면 연회를 열 준비를 해야하니 나 유비는 강을 건너겠네. 내일 작은 진영에서 연회를 열 태니 참석해 주시게.”

강에 있던 관리는 아무 말도 하지 않았다.

한편, 주유는 술에서 깨 무릎 위의 거문고를 잡고 천천히 앉아 주변 사람들에게 물었다.

“황숙은 어디 가셨는가?”

그러자 대답했다.

“황숙께서는 누각 아래로 간 지 오래 되었습니다.”

주유는 크게 놀라 소리치자 강을 지키던 관리가 말했다.

“현덕은 원수가 명하셔서 강을 건너 연회를 준비하러 간다 말했습니다.”

그러자 주유는 거문고를 부수고 관리들을 크게 꾸짖었다.

“내가 한 순간 술에 취해 교활한 유비 놈이 도망치게 했구나!”

그리고는 능통(凌統), 감녕(甘寧)에게 3천의 군사를 주고 전선(戰船)을 타고 황숙을 했는데, 만약 따라잡으면 황숙의 목을 베어 가져오라 했다.

황숙은 앞으로 나아가고 오나라 군대는 뒤에서 쫓았는데, 선생(先主, 제갈량)은 강가에서 적군의 가까이에 있었다. 장비가 막아서며 소리 지르자 오나라 군사들은 감히 상륙하지 못하고 돌아와 주유에게 알렸는데, 주유는 이를 답답해

했다.

며칠 뒤에 주유는 군대를 이끌고 강을 건너 황숙과 제갈이 있는 적벽파(赤壁坡)에서 100리 되는 곳에 진영에 있다는 걸 들어 알게 되었다. 주유는 군사들에게 하구(夏口)의 네 개의 군(郡)을 지나 장사군(長沙郡)으로 가게 했는데, 그 곳의 태수 조범(趙範)이 말했다.

"서쪽의 군들은 형주에 속하는데, 당신들이 왜 차지하려 하는가?"

주유는 다음날 군사들을 이끌고 조장(曹璋)과 싸워 여러 차례 교전했는데, 조장에게 이겨내지 못해 양 군이 서로 대치하게 되었다. 한편, 노숙이 말했다.

"동북쪽에 적벽파(赤壁坡)가 있는데 그 곳에 은혜를 저버린 유비가 있어 그 곳에서 도움을 청할 수 있을 것입니다."

그리고 말했다.

"현덕, 공명, 관공, 장비가 도착하면 그들을 이길 자는 없습니다."

이에 즉시 유비와 제갈에게 편지를 보냈는데, 편지를 읽은 황숙이 곧바로 군사를 내려 하자 군사가 말했다.

"그러시면 안 됩니다. 황학루(黃鶴樓)의 적장 때문에 주공을 잃을 뻔 했습니다!"

군사가 장비에게 외쳤다.

"그대가 가시오."

군사는 그리고는 계책을 알려주었다. 다음날, 장비는 5천의 군사들을 이끌고 장사로 갔는데, 동쪽에는 주유의 큰 진영이, 서쪽에는 조장의 큰 진영이 있었고, 장사군의 북쪽에 장비의 큰 진영이 있었다. 주유는 장비의 5천의 군사들이 오자 근심이 풀려 관리들에게 말했다.

"유비가 하구에서 곤경에 처했을 때 우리 3만의 군대, 100명의 명장 전투에서 싸워 이겼는데, 황개를 잃었다. 나는 이제 조장을 죽여 유비가 돌아갈 곳이 없도록 하겠다."

관리들이 모두 말했다.

"맞는 말씀이십니다."

다음날, 서쪽에는 조장의 진영, 동쪽에는 주유의 진영, 북쪽에는 장비의 진영이 있었는데, 장비가 주유를 만나 예를 표하고 말했다.

“주공근(周公瑾)께서는 그간 별 일 없으셨습니까!”

주유가 말했다.

“적장이 감히 나를 기만하다니!”

그리고 보니 장비의 등 뒤의 깃발에 거기장군(車騎將軍)이라 적혀있었다. 공근(公瑾, 주유)이 말했다.

“지금 나를 뭘로 보는가! 소나 몰던 촌뜨기가 나를 기만하는가. 우리 손권의 관직이 장비보다 낮다는 말이냐.”

이 때문에 주유는 원망하는 마음을 품었다.

오나라 장수들과 조장이 싸워 말을 타고 오랫동안 싸웠지만, 승부가 나지 않았는데, 장비가 말했다.

“오나라 장수들은 내 뒤에 있으시오. 내가 조장을 베어버리겠소!”

오나라군은 익덕(翼德, 장비)의 기세를 몰랐었는데, (장비가) 크게 한 번 수리치자 높은 하늘 밖으로 소리가 퍼졌다. 그리고 조장과 싸웠는데, 조장이 대패하자 주유가 말했다.

“우리가 며칠간 싸웠는데도 조장을 이기지 못했는데, 오늘 장비가 해내는 걸 보니 내가 부끄럽지 않느냐.”

주유도 조장을 쫓았는데, 조장이 화살을 한 번 쏘자 주유

의 정중앙에 맞아 말에서 떨어졌다. 다행히 사람들이 있었기에 주유를 구했다. 날이 저물어 군사를 진영 안으로 들였고, 장비 역시 진영으로 돌아와 외쳤다.

"지난번에 하구에서 위험에 처했을 때, 원수께서 우리를 도와주셨소. 오늘 원수께서는 20일 동안 조승상(曹相, 조조)을 이겨내지 못했지만, 저 장비가 그들을 죽이고 하구의 네 군을 공근(公瑾, 주유)께 드릴 텐데, 이는 하구의 은혜를 갚는 것이오!"

말을 마치고는 갔다. 주유는 약을 상처(金瘡)에 바르고 왼팔에 붕대를 감고 말했다.

"고립되어 곤궁했던 유비는 내게 은혜를 저버리고, 장비에게 기만당했는데, 이는 모두 제갈 때문이다! 우리에게 네 군을 주었지만 제갈이 가진 뜻은 무엇이란 말인가?"

며칠이 지나지 않아 한 사람이 주유에게 말했다.

"제갈이 3천의 군사들로 형주를 지키고 있습니다!"

주유가 이를 듣고는 크게 소리치고는 상처에서 피가 터져 나왔는데, 관리들이 말했다.

"형주는 오나라의 땅입니다."

주유는 군사들을 이끌고 길에 올라 며칠 뒤에 형주에 도착했다.

황숙은 주유가 군사들을 이끌고 온다는 걸 알고 관리들과 함께 주유와 대치했다. 주유가 말했다.

"황숙과 군사는 어찌 내 뜻을 모르시오? 형주는 촉(蜀)과 오(吳)의 땅인데, 황숙은 어찌 차지하려 하시오?"

황숙이 답했다.

"그건 내가 관여할 일이 아니오.(不干我事)"

문이 열리고 한 장수가 나왔는데, 주유가 그를 보고는 크

게 소리 한번 지르고 말에서 떨어졌다. 관리들이 급히 원수를 도와 말에 오르게 했는데, 상처에서 피가 물 흐르듯 흘러나왔다. 형주의 왕(荊王, 유표)의 큰 아들이었던 유기(劉琦)가 이를 보고 크게 외쳤다

"주유 원수! 아버지가 돌아가시고 유종이 형주를 바쳤소. 조조가 후퇴하자 우리 황숙이 이곳에 나 유기를 세워주셨소!"

주유가 대답하지 못하자 황숙이 다시 말했다.

"공근을 연회에 초청하오!"

주유는 제갈이 계책이 있을까봐 두려워 성에 들어가려 하지 않았다. 주유는 군대를 돌려 강남의 강변으로 돌아와 군사를 주둔시켰다. 원수는 병을 돌보았다.

그리고 노숙에게 3개월간 머리와 꼬리가 되도록 일을 맡겨 형주의 일을 염탐시켰는데, 그러던 중 어떤 이가 원수에

게 와서 유기가 사망했다고 보고했다. 그러자 주유는 군사 10만을 이끌고 형주를 취하려 했다. 며칠간 행군해 형주에서 수십리 되는 곳에 진영을 세웠는데, 그 날 황숙이 말을 타고 나왔다. 주유가 말했다.

"이전에 형주는 오나라의 땅에 속했는데, 네가 점령했구나!"

제갈이 웃으며 말했다.

"그대에게 보여줄 게 하나 있소!"

양 진영 사이에 상 위에 붉은 쟁반을 하나 가져왔는데, 그 위에는 비단이 있었다. 주유는 그걸 보더니 온 몸을 떨며 피가 샘솟듯이 나왔다. 관리들이 급히 구해 상처를 막았다.

각문학사(閣門學士) 조지미(趙知微)가 상소를 올렸는데, 가명전(嘉明殿)에서는 그 상소를 듣고 조승상(曹丞相)에게 이를 알리자, 황숙(皇叔)에게 (형주를) 책임지도록 했다.

"황숙 유비가 올린 상주문을 승인하도록 한다. 그대는 황건이 쳐들어 왔을 때, 또한 호로관에서는 동탁을, 조승상을 쫓아 여포 또한 쳐부수었다. 여러 번이나 큰 공을 세워 그 인덕이 매우 볼 만하고, 군사들을 이끄는 일을 게을리(怠慢) 하지 않았다.

이에 그대에게 삼강 대도독(三江大都督) 겸 예주목(豫州牧) 수군 도원수(水軍都元帥)의 관직을 더하고, 강 하류의 13군(郡)을 다스리게 하고, 식읍(食邑) 만호를 내린다.

또한 자금으로 만든 허리띠(紫金魚袋) 하나를 내린다. 황숙을 형주의 왕(荊王)으로 봉하고 변방을 안정시키는 일을 맡기고 상을 주고 직책을 더하니 이를 알도록 하라. 건안 4년(建安, 192) 가을 7월, 상주문을 승인하도록 한다."

한편, 황숙이 형주에 있게 된 지 며칠이 지나 한 사람이 말했다.

"수군원수(隨軍元帥) 가익(賈翊), 조상(曹相), 하후돈(夏侯敦)이 5만의 군사를 이끌고 형주 동북쪽의 20리가 안되는 곳에 와서 진을 쳤습니다."

제갈이 말했다.

"관우, 장비, 두 장군은 위나라군을 멀리 가서 맞이하라."

그들이 길에 오르기 전에 조운에게 은밀히 계책을 전했

다. 3일이 되지 않아 군사들이 출발했다.

한편, 황숙이 형주를 지키자 백성들은 음악을 연주하고 노래를 부르며 황숙의 인덕을 이야기했다.

어느 날, 날이 저물고 형주의 여섯 개의 문 중에 동북쪽의 수문(水門)을 보니 여러 척의 배 위가 가득 차 있었는데, 큰 소리로 말했다.

"문을 여시오! 우리는 손님이오."

조운이 누강에서 이를 보며 말했다.

"날이 늦었으니 내일 성 안으로 들어오시오."

손님이 따르지 않고 말했다.

"우리는 자본과 배 안의 화물이 많아 성 밖에서는 이를 잃을까 걱정되오."

조운이 문을 여는 걸 응하지 않았다. 1경(一更, 저녁 7~9시)이 지나자, 세 번째 배에서 한 사람이 나와 외쳤는데, 그는 주유였다.

"나는 형주를 얻지 모하면 검을 뽑고 물로 뛰어들겠다."

그리고는 주변사람들에게 모두 배에서 내려 뭍으로 가라 하며 이 곳이 모두 오나라 땅이라 했다. 이들 중에는 원수가 있었는데, 주유가 불화살로 문을 태워버리라 하자 조운이 말했다.

"군사의 계책에 딱 맞아떨어지는구나."

황숙은 사람들에게 명했었는데, 이는 군사가 둥근 활 1천개를 만들라는 것이었다. 그리고 주유에게 쏘자 군사들이 모두 형주에서 20리 떨어진 곳으로 달아나 배에서 내리려 했다. 오나라 군사들은 말을 타려 했는데, 뒤에서 복병이 나타났는데 1천명의 군사가 다가왔다. 이는 조운과 간헌화(簡獻和, 간옹)로 화살을 쏘며 그들을 막고 죽이자 주유가 말했다.

"이 또한 촌뜨기의 계책이구나!"

그리고는 진영을 돌파해 도망쳤다.

날이 저물어 형주에서 40리 떨어진 곳까지 갔는데, 사람과 말이 지쳐있었다. 그 곳에서 다시 군사들이 그들을 맞았는데, 대략 3만여 명이었다. 왼쪽에는 관장군, 오른쪽에는 장비, 그 우두머리는 군사(軍師, 제갈량)이었는데 그가 말했다.

"형주를 차지하려 했지만, 오늘 실패했구나. 장군이 나와서 누군지 말하면 너를 지나가게 해 주겠다!"

주유는 매우 놀라고 군사들이 와서 서로 죽였는데, 겨우 탈출할 수 있었다. 군사는 군대를 돌려 형주로 돌아갔다.

한편, 주유는 강변에 도착해 진영을 세우고 노숙과 의논했다.

“내게 계책이 하나 있소.”

노숙이 무엇인지 묻자 주유가 말했다.

“토로장군(討虜, 손권)께는 여동생 하나가 있는데, 유비에게 시집보내는 것이오. 그리고 은밀히 와룡을 가두는 계책을 쓰면 황숙을 죽일 수 있을 것이오.”

원수는 노숙에게 강을 건너 토로를 만나게 해 손부인을 유비에게 시집보내 몰래 죽이도록 했다. 그날 밤, 손권과 노숙이 태부인을 만났는데, 부인이 말했다.

“너희 할아버지는 원래 농부였는데, 집안에서 보이지 않게 덕을 쌓아, 너희 아버지가 장사태수가 된 것이다. 오늘날 황숙과 혈연관계를 맺자고 하니 어찌 안 되겠느냐?”

노숙이 관아를 나가자 손권은 어머니와 이야기했다.

“이는 주유의 계책으로, 작은 여동생에게 황숙을 죽이라 시킬 것입니다.”

태부인은 몰래 딸에게 이를 물었는데, 딸은 막 성년이 되어 15세였다.

“저희 아버지께서는 동탁을 쳐부쉈는데, 지금 유비에게 시집가서 몰래 황숙을 죽이라 하시니 후세에 이름을 남기겠습니다.”

태부인이 말했다.

“예의가 훌륭하다면 (결혼을) 하도록 하고, 예의가 형편 없다면 즉시 그만두도록 해야 한다.”

며칠 뒤, 노숙이 강을 건너 주유와 만나 이를 이야기하자 크게 기뻐했다. 노숙은 멀리 형주까지 가는 건 좋은 중매라 생각했는데, 형주에 오자 관리들이 맞이해 역관(館驛)에 머무르게 했다. 노숙은 혼인 관계에 대해 제갈에게 이야기했다.

날이 저물고 제갈이 황숙에게 이를 이야기했는데, 황숙이 말했다.

“주유의 계책이오.”

군사가 말했다.

“주공께서는 안심하십시오. 재밌는 것은 오나라 주인의 여동생이 시집온다는 것입니다.”

다음날 황숙이 노숙을 부르자, 황숙은 혼사에 대해 이야기하고 양 집안에서 날을 정했다.

노수은 강을 건나 주유와 만나고 또 강을 건너 손권과 만났다. 태부인은 어린 딸아이를 데리고 오나라를 떠나 큰 강을 건너 형주에서 50리 떨어진 곳으로 갔다. 노숙이 5천의 군사들과 이들을 수행했는데, 몰래 데려온 장수가 20명이었다.

“만약 형주성이 시끄러워지면 차지할 수 있을 것이다.”

말이 끝나기 전에 장비가 특별히 와서 부인을 맞이했다.

“군사는 한 명도 쓸 필요 없다. 형주 밖에서 진을 치고 기다려라!”

그러자 오나라 군사들은 감히 오지 못했는데, 노숙은 주유에게 첫 번째 계책이 실패했다 말했다.

부인이 형주로 들어가자 장비는 한쪽 벽에서 함께 갔는

데, 부인이 수레 안에서 말했다.

“이 한나라 사람은 호로관에서 여포를 상대했고, 또 소패에서 세 번 나갔으며, 당양 장판에서 조조를 30리나 후퇴시킨 사람입니다. 대단한 장사시군요!”

부인이 수레에서 또 몇 리를 가자 조운이 맞이했는데, 부인이 이를 보고 말했다.

“이 분은 100만의 군대 안에서 아두(阿斗)를 구한 조운이군요!”

이후에 황숙이 수천 명을 이끌고 와서 이야기꽃을 펼치며 여러 이야기를 했다. 부인을 형주로 들어가자 관청이 보였다. 군사가 부인을 맞이했는데, 청사 안에는 신상(神像)이 걸려있었는데, 위쪽에는 고조(高祖), 아래쪽에는 헌제(獻帝)로 24명의 황제가 있었다. 부인이 말했다.

“우리 집안은 원래 농부 출신이라 제왕의 신(帝王之神)은 본 적이 없습니다.”

부인이 기뻐했다.

다음날 연회를 열자 부인은 술을 가져와 주유의 계책을 실행하려 했다. 부인은 곧바로 황숙과 잔을 주고받으려 했는데, 관리들이 모두 놀랐다. 형주의 왕(荊王, 유비)이 말했다.

“부인은 술잔을 돌리시오.”

부인은 노숙이 술잔을 돌리는 것을 보고 황숙을 죽이려는 뜻을 알게 되었다. 그러나 가슴에 금색 수놓은 뱀이 있는 것을 보고 부인은 죽이려는 생각을 잃고서 말했다.

"공경하지 않고 책망하는 마음이 생기면 천하가 혼란해질 것입니다."

황숙과 부인은 매일 술을 마시며 100일 정도를 보냈는데, 어느날 2경(二更, 밤9~11시)에 황숙이 보이지 않았다.

부인이 서북쪽으로 가자 황숙이 큰 소리로 여러번 우는 게 보여 부인이 물었다.

"왜 그러십니까?"

형주의 왕이 말했다.

"헌제께서는 나약하셔서, 조조가 권력을 농단하고 있습니다."

부인은 황숙에게 며칠간 황숙을 보고는 여러 번 말했다.

"황숙께서는 몇 대에 걸친 제왕의 자손이신데, 어찌 완숙의 예를 모르겠습니까? 저희 집 어머니께서는 나이가 많으시고, 또한 오빠는 황숙이 돌아오길 바랍니다."

황숙이 말했다.

"군사와 상의해봐야겠습니다."

황숙은 몰래 제갈과 만나 돌아갈 일을 이야기하자, 제갈이 웃으며 말했다.

"황숙께서 부인과 함께 멀리 강남으로 가시면 만분의 일도 잘못될 일이 없을 겁니다."

황숙이 다시 말했다.

"주유의 계책이 두렵소."

군사가 말했다.

"주공께서 가실 때, 저 제갈이 5만의 군사를 강변에 주둔시키고 그 아래에 전선(戰船)을 준비시키고, 좌우에 관우, 장비 두 장군을 두면, 오나라 장군들이 감히 주공을 쳐다보지도 못할 것입니다."

황숙은 길에 올라 강남으로 갔는데, 부인과 함께 건강부(建康府, 건업)에 도착했다. 이를 멀리서 알고는 손권에게 보고하자 손권이 생각했다.

'이전에 적벽대전(赤壁會戰)에서 조공의 100만의 군사들을 후퇴시키고 7만의 군사들과 여러 장수들을 잃었다. 교활한 도적놈 제갈 군사, 이 소나 먹이는 촌뜨기 놈이 은혜를 저버리고 이리 가까이 왔구나!'

주유는 여러 차례 유비가 인의가 없다하고(不仁) 형주 13군을 차지했다 이야기했다. 태부인 또한 이를 일고 토로(討虜, 손권)를 불렀다. 토로는 효자라 태부인과 만났는데, 그녀가 말했다.

"우리 아들 얼굴이 기뻐 보이지 않는데 왜 그러느냐?"

손권이 말했다.

"유비는 형주의 왕 자리를 빼앗고 저희 30만 군대를 움직여 하구에서 역적 조조를 물리쳤는데, 유비는 그 은혜를 모르는 놈입니다. 그가 강남에 오면 저느 황숙을 죽일 생각입니다."

부인이 말했다.

"너희 아버지는 채소를 심으며 살았고, 너희 집안은 원래 농부였는데, 이후에 대군을 통솔하게 된 것은 조상들이 복을 쌓았기 때문이다. 우리 아들 여동생이 황숙의 아내로 시집가게 되었는데, 내 아들이 황숙을 죽이면 네 여동생은 어떻게 시집가겠느냐? 황숙이 오면 잘 대하도록 하거라. 그가 어진 사람이 아니라는 걸 보고 난 뒤에 죽여도 늦지 않다."

손권은 어머니의 말을 듣기로 하고, 태부인과 손권은 현덕을 맞이했다.

며칠이 지나 성 안으로 들이고 백성들은 황숙의 얼굴을 보고 놀라지 않은 사람이 없었다. 관아에서 며칠간 연회를 하고 태부인이 몰래 손권에게 물었다.

"현덕은 어떤 것 같나?"

손권이 말했다.

“지금 황숙을 보니 한나라 황실 친척이라 그 모습이 당당하고 이후에 분명 군주가 될 것 같습니다.”

아들과 어머니는 모두 기뻐했다. 20여일이 지난 뒤에 황숙이 태부인께 인사드리자 손권이 말했다.

“황숙께서 오셨지만 머물 곳이 없군요.”

태부인은 손권에게 두 사람을 뽑아 길을 안내하러 보내게 했다. 며칠 뒤에 큰 강에서 20여리 떨어진 곳으로 떠났다.

한편, 강남의 강변에 주유의 큰 진영이 있었는데, 정탐병이 주유에게 이를 이야기하자, 원수는 강남의 손부인 이야기를 듣고 크게 외쳤다.

“여섯 가지 계책 중 하나도 성공하지 못했구나!”

그리고는 감녕에게 300명의 군사를 주어 남쪽의 외롭고

궁핍한(孤窮) 유비를 맞이하라 했다. 감녕은 군사들을 데리고 수레 앞으로 가서 말에서 내려 부인을 뵈었다. 부인이 발(簾)을 젖히고 괴로워하고는 큰 소리로 외쳤다.

“주유, 이 나약한 놈! 나는 장사태수의 친 딸이자, 토로장군의 친동생이다. 내가 지금 여기까지 왔는데 와서 맞이하지 않느냐. 황숙 형주의 왕과 여기 계신데도 그런 것은 현덕을 기만하는 게 아니라, 감히 나를 엿보려 하는 게 아니냐!”

그렇게 한번 꾸짖자 ‘예예(喏喏)’하면서 물러났다. 그리고는 다시 돌아가 주유에게 이를 말하자 주유가 웃으며 말했다.

“내가 직접 3만 군대를 데리고 수레 앞으로 가 황숙을 수레에서 끌어내리고 교활한 도적놈을 사로잡으면 부인께서 무슨 말을 하시겠는가! 토로께서 이를 아시면 내게 무슨 죄를 물으시겠는가!”

주유와 관리들은 남쪽에서 부인을 뵙고 수레 앞에서 말에서 내려 몸을 굽혀 예를 갖추자 부인이 다시 말했다.

"우리 어머님과 오빠께서는 형주의 왕과 강을 건너라 하셨으니 즉시 배를 타도록 준비하시오."

주유가 큰 소리로 말했다.

"유비, 이 은혜도 모르는 역적 놈!"

부인은 웃으며 발(簾)을 치우고 주유에게 수레 안을 들여다보게 했다. 주유가 한 번 크게 소리치더니 상처에서 피가 용솟음쳤다. 관리들은 주유를 부축하고 손부인은 황숙과 함께 강북으로 강을 건넜다.

한편, 주유는 며칠간 병으로 누워 있다가 말했다.

"손부인이 결국 유비와 도망쳤구나!"

군사는 황숙을 맞이해 형주로 들어갔다.

반년 정도 지나 어떤 이가 황숙에게 알렸다.

"태부인이 노숙에게 여관으로 보내 있으라 했다 합니다."

다음날 연회를 열었는데 노숙이 말했다.

"형주는 최근 1~3년 정도는 크게 가물어 수확하지 못해, 굶어죽는 사람이 많다 알고 있습니다. 이에 토로(虜太, 손권)의 태부인께서 100만석의 곡식을 보내 멀리 형주로 와 황숙을 뵙고자 합니다."

군사가 말했다.

"형주에서 수확하지 못한 걸 토로께서는 알고 계셨군요."

며칠 뒤에 천척의 배가 식량을 싣고 성으로 들어왔는데, 노숙이 말했다.

"3일 전에 서천(西川)의 유장(劉璋)이 원수로 임명되어 군사 5만 명을 이끌고 백제성(白帝城)으로 가는 길을 차지해 오나라를 기울게 할 뜻을 알게 되었습니다. 토로와 관리들은 이를 알고 식량을 형주의 왕께 바치고 주유에게 서천을 차지하라 명하셨습니다."

황숙이 그리하라 하자 군사가 말했다.

"이 일은 매운 간단할 겁니다."

가을 9월이 되어 농부들이 식량을 수확할 때가 되자, 원수가 병사들을 이끌고 지나가기로 했다.

삼국지평화 권하
三國志平話卷下

노숙이 강 건너 돌아간 뒤 2개월이 되지 않아, 주유가 5만의 군사들을 이끌고 형주 남쪽 100리 떨어진 곳으로 와서 서천(川)을 거두기 위해 서쪽으로 향했다. 주유가 군사를 이끌던 중 1만의 군사들이 그들을 막았는데, 거기에 황숙이 있었다. 제갈이 말했다.

"그대는 형주에서 1~3년간 수확이 없었다는 알 것입니다. 올해 밭에 씨를 뿌리고 8월에 중순이 되면 수확할 수 있을 것입니다. 10만의 군사들이 동서로 30리 길이, 남북으로 80리를 움직이는데, 군인들이 식량을 소모하면, 백성들이 멀리 형주로 와 하소연할 것입니다."

주유가 말했다.

"이전에 100만석을 주고, 서천으로 가는 길을 산 것인데, 어찌 식량 소모가 없겠소?"

주유가 또 말했다.

"군사는 농사나 짓던 낮은 사람이라 수확물을 탕진하는 거로 보아 번뇌하시는 것 같소."

무후(武侯, 제갈량)가 소리쳤다.

"공근(公瑾, 주유), 그대는 노숙의 이야기를 듣지 못했습니까!"

공근은 대답하지 않고, 관리들은 진영을 진을 풀고, 원수는 서쪽으로 행군했다.

다음 날이 되어 주유는 군사들을 이끌고 서쪽으로 갔는데, 다시 1만의 군사들이 길을 막고는 장비가 크게 소리쳤다.

"군사의 엄명이 있었소. 원수는 왜 서쪽으로 계속 가시오?"

말을 마치고 나서 진영을 차리고 장비가 길을 막아서고 창을 뽑아 진영을 세웠다. 그날 밤 대략 2경(二更, 9~11시) 쯤 되어 주유가 몰래 길을 통과했다. 날이 밝아 원수는 서쪽으로 며칠간 가서 서천(西川)의 경계에 도착해, 그 쪽의 관원들을 보고는 항복하지 않으면 즉시 죽였다. 장비의 군사가 그 뒤를 습격하자 원수는 얻었던 주(州), 부(府), 현(縣), 진(鎮)을 빼앗겼는데, 모두 장비의 손에 넘어가자 주유가 말했다.

"이건 소나 끄는 촌뜨기의 계책이구나!"

주유가 말을 마치자 상처가 터졌다.

그리고는 다섯 번 더 길을 떠났는데 여러 사람이 와서 보고했다.

"원수가 상처로 고통이 심해 견디지 못합니다."

여러 관리들이 원수에게 이야기해 앞에 있던 파구성(巴丘城)으로 갔다. 주유가 병으로 누워 일어나지 못하고, 며칠간 음식도 못 먹고, 얼굴에는 종기가 생겼다. 그러자 노숙을 불러들여 곡을 하며 말했다.

“나는 파구에서 죽게 되겠소. 대부(大夫)는 내 유골을 강을 건너 오나라로 보내주시오. 만약 소교를 만나면 두 번 세 번 그 뜻을 알려주시오.”

말을 마치자 성의 모든 사람들이 울었다. 그 날, 원수의 병이 심해지자 가족이 와서 말했다.

“관아의 문(衙門) 앞에 선생 한 명이 있는데, 원수와 포의지교(布衣相交)라 합니다.”10)

그러자 그를 장막 안으로 들어오게 했다. 관리들이 원수를 부축해 앉히자 선생이 계단을 올라왔는데, 그는 바로 사천(四川) 낙성(洛城) 사람으로 성은 방(龐), 이름은 통(統), 자는 사원(仕元), 도호(道號)는 봉추선생(鳳雛先生)이었는데 머리를 싸매고 울었다. 방통이 말했다.

“내 동생이 이런 일을 겪었구려!”

주유가 팔을 걷어 방통에게 자신의 상처를 보여주자, 방통이 이를 차마 보지 못하자 주유가 말했다.

“내가 죽으면 형님은 내 유골을 강남(江南)으로 보내주시오.”

---

10) 포의지교(布衣之交) : 소의상교(布衣相交)라 기록되어 있지만, 포의지교를 뜻하는 말로 보인다. 포의지교는 신분(布衣)과 상관없이 친분을 맺은 친구 사이를 말한다.

주유가 죽자 방통은 장군의 별(將星)을 억누르고 그날 밤 시신을 옮겨 강을 건너게 했는데, 군사가 이를 가로막았다. 무후가 말했다.

"나는 주유가 죽고 장성들을 억누를 게 방통의 계책임을 알았소."

방통은 이 말을 듣고 군사와 만났는데, 군사는 시신이 통과할 수 있게 해 주었다. 며칠 뒤, 시신이 금릉부(金陵府, 건업)에 도착하자 손권이 말했다.

"후하게 장례를 지내고 좋은 일이 되도록 하라."

한 달 정도 지나 노숙이 손권에게 방통을 천거하자, 손권이 노숙을 꾸짖었다.

"예전에 유표가 죽었을 때, 그대가 형주에 가 조문해 유비를 끌어들여 하구에 있게 했고, 또 제갈이 강을 건너게 해 좋은 말로 30만의 군대의 100명의 장수를 움직이게 해 시상(柴桑)을 건너게 해 조조와 상대하게 했소. 또한 계책을 내어 적벽대전(赤壁大戰)을 하게 해 조조의 100만의 군사를 처부수면서 나도 수만의 군사들과 수십명의 명장들, 그리고 황개를 잃었소. 유비는 또 13개의 군을 빼앗고, 그 촌뜨기가 주유를 죽게 만들어 내 가슴을 만 조각으로 찢어 놓았소!"

그러자 노자경(魯子敬, 노숙)은 예예(喏喏) 하면서 물러

갔다.

노숙은 집으로 돌아와 3일 뒤에 방통과 만나러 길에 올랐고, 한 관리가 큰 강을 건너도록 배웅했다. 방통과 만나러 가는 길에 형주에 도착했는데, 황제의 별(帝星)이 밝게 빛나고, 형초(荊楚, 형주)의 땅을 비추자 방통이 말했다.

"나는 주군을 고르는 데 실수했구나. 천하 사람들이 모두 황숙이 인덕이 있는 사람이라 말하는데."

그리고 관아로 가서 황숙을 만났는데, 황숙이 그를 앉히고는 물었다.

"선생은 성이 어떻게 되시오?"

그러자 말했다.

"성은 방(龐), 이름은 통(統)입니다."

황숙은 이를 알아차리고 다시 물었다.

"선생은 제갈승상(諸葛相)을 알고 있소?"

방통이 그렇다(唯唯)하자 황숙은 방통에게 문서를 주고 역양현령(歷陽縣令)으로 임명했다.

방통은 그 뜻을 이루지 못하고 반 달 정도 지나 공무를 잘못 처리해, 백성들이 멀리 형주까지 가서 황숙에게 이를 알리자 황숙이 말했다.

"이전에는 내가 몰랐는데, 스스로 공명과 형제라 했기에 글을 써서 역양현령으로 임명했는데, 어찌 이런 잘못을 했단 말인가!"

가까이 있던 이가 알렸다.

"장비가 관아 앞에서 말에서 내렸습니다."

황숙은 그에게 갔다. 현덕이 물었다.

"장군은 어디로 갔다 오시는가?"

장비가 말했다.

"형주 정북쪽의 형산현(荊山縣)이라는 곳입니다."

황숙이 방통의 일에 대해 말하자 장비가 말했다.

"제가 역양(歷陽)에 가서 그 놈을 끌어내 형님 앞에 데려오겠소."

다음날 장비는 수십명을 이끌고 역양의 관아 앞에 가서 말에서 내렸다. 그 곳의 백성, 관리들이 모두 방통이 어질지 못하다 말하자 장비는 검을 잡고 관아 안으로 들어갔다.

날이 저물고 천둥같이 코고는 소리가 들렸는데, 장비는 여러번 검을 휘두르자 피가 샘솟아 올랐는데, 이불을 걷어올리자 거기는 개 한 마리가 있었다. 장비가 말했다.

"이 도적놈이 어디로 내뺐는가?"

다음날 형주로 와서 황숙에게 전날 있었던 일을 말하자 황숙이 말했다.

"태위(太尉, 방통)는 현인(賢人)이 아니었단 말이냐?"

앞뒤로 10일 정도 지나 강 인근에 4개의 군이 모두 반란을 일으켜 현덕이 묻자 제갈군사에게 말했다.

"서서(徐庶)의 말이 기억나지 않으십니까. 남쪽에는 와룡(臥龍), 북쪽에는 봉추(鳳雛)가 있어, 한 사람을 얻으면 천하를 안정시킨다 하지 않았습니까? 방통은 서천 낙성 사람으로 바로 봉추선생입니다. 지금 4개의 군이 반란을 일으킨 건 모두 방통이 설득했기 때문입니다."

현덕이 말했다.

"군사의 말이 옳소."

군사는 조운을 불러 3천의 군사들과 장사군(長沙郡)으로 달려가 조범(趙範)을 수습하게 했다. 다음날 날이 밝자 조운은 길을 나섰다. 조범은 팔을 걷고 양을 끌어, 먼 곳까지 나와 조운을 관아로 마지하고는 말했다.

"네 군이 반란을 일으킨 건 방통이 설득했기 때문입니다."

연회가 늦게까지 이어지자 조범은 술에 취해 수십 명의 부인들(婦人)과 있었는데, 그 중의 한명은 진홍색 옷을 입고 아름다운 몸매였는데, 조운에게 술을 권하며 말했다.

"저 분은 제 형수인데 자룡의 아내가 되었으면 합니다."

조운이 소리쳤다.

"너는 천한 놈(匹夫)일 뿐이구나! 군사께서 엄명을 내리셨는데, 어찌 술과 여자를 생각하겠느냐!"

알을 마치고 관아를 나가자 조범이 술에 취해 말했다.

"조운 저 어질지 못한 놈!"

그리고는 3천 명으로 관청을 포위해 조운을 죽일 뜻을 품었지만 자룡이 화살을 하나 쏘아 죽였다. 다음날 해가 뜨자 관리들과 백성들이 말했다.

"조범과 그 가족들을 죽이고 백성들을 안심시켰습니다."

조운은 그리고는 형주로 돌아와 황숙을 만나고 군사에게 이야기했다.

"저 조운이 장사군을 거두었습니다."

그리고 장비는 서남쪽 100리 되는 곳에서 계양군(桂陽郡)으로 가고 있었는데, 태수 장웅(蔣雄)이 한나라의 신하로 있었는데, 문무를 겸비한 사람이었다. 다음날 3천의 군사들을 이끌고 계양에서 10리가 되지 않는 곳에 진을 쳤다.

어떤 이가 태수 장웅에게 이를 알리자 장웅이 말했다.

"장비는 거친 사람이다. 손무자(孫武)의 병서에서 기마병(馬軍)은 4번 40리를 오지 못하고 보병(步軍)은 50리를 가지 못하고, 대부분 지친다 한다. 지금 장비의 군대는 100리

를 행군해 왔으니 사람들과 말이 지쳐있을 것이다. 관중(管仲)은 '멀리서 온 적은 습격하고 공격해야 한다.'라 했다. 승세를 타고 장비를 죽이면 제갈 주변의 팔 하나를 없애는 것 같을 것이다."

장웅은 5천의 군사를 모아 성을 나가 장비의 진영을 습격했지만, 진영이 비어있었고, 4방에서 매복한 군사들이 나타났다. 장웅은 계양을 지키려 했지만, 장비가 먼저 빼앗아 장웅을 맞이했다. 그리고 두 군대가 맞이해 두 사람이 말을 타고 싸웠는데, 장비가 찌르자 말에서 떨어지게 되어 장비가 계양군을 얻게 되었다. 장비는 형주로 돌아왔다.

제갈은 또한 공자(公子) 유봉(劉封)에게 한국충(韓國忠)과 싸우게 했는데, 국충이 패하자 유봉은 높은 곳에 올라갔는데, 4면이 모두 물이었고, 한국충은 배를 타고 떠났다. 유봉이 떠나려 하자 앞에 한 장수가 막아섰는데, 신장이 1장(丈)이고 고리 눈에 수염이 길고 큰 자루를 가진 칼을 쥐

고 말 위에서 크게 소리쳤다.

“이 계책은 관우, 장비, 두 장수를 잡을 수 있는데 유봉이 어찌 감당하겠는가!”

군사들이 이를 듣고 다시 보니 그 사람이 누군지 보니, 장비였는데, 그는 한국충과 싸웠다.

“오랑캐 놈이 또 말을 달려오는구나!”

장비는 그와 말을 타고 대략 20합을 싸웠는데, 승패가 나뉘지 않았다. 3일 정도 지나 군사(軍師, 제갈량)가 도착했다고 보고했다.

장비는 군사와 함께 진영으로 들어가 곧바로 군사에게 말했다.

“이 사람을 얻는다면, 어찌 한나라의 천하를 세우는 걸 근심하겠습니까!”

날이 밝자 군사가 높은 곳에 가서 서남쪽을 보았다. 관리들은 계양의 서남쪽에 언덕이 있고 바로 밑에 물이 흐르고 있었는데, 그 곳에 유봉이 물가 위에 갇혀 있었다. 그 곳에는 진영이 있었는데, 그 곳에 봉추(鳳雛, 방통)가 있는 게 분명했다. 그날밤 편지를 써서 미축(糜竺)에게 몰래 길을 떠나 멀리 있는 작은 진영에 전하게 해 방통을 만나게 했다.

미축이 방통에게 편지를 전하자 방통이 웃으며 말했다.

“제갈은 예전부터 나와 알던 사람이오.”

그리고는 미축에게 편지를 주고 날이 밝으면 진영으로 돌아가게 해 군사에게 그 편지를 보여주게 했다. 군사는 이를 읽고 날이 어두워지자 미축에게 1천의 군사들과 높은 언덕으로 가 갈대를 태우라 했다. 유봉 그 곳에서 나와 제갈량과 만났다.

한편, 방통은 그날밤 명장을 초대했는데, 그는 관서(關西)

부풍(扶風) 사람으로 성은 위(魏), 이름은 연(延), 자는 문장(文長)이었다. 그는 방통과 앉아 이야기했다.

"한나라 황실에서 군대가 오게 되었는데, 패왕의 기운(霸氣)을 가지고 있습니다. 한국충은 의리가 없고 결단력이 없습니다."

그리고 말했다.

"현덕은 인덕이 있는 사람으로, 높은 새는 쉴 숲을 정하고 현명한 신하는 주인을 정하다는 말을 못 들어보셨습니까?"

다음날, 양군이 대치했는데, 위연이 한국충을 베고 말에서 떨어뜨렸다. 방통이 무릉군을 얻어 제갈에게 투항해, 군사들을 이끌고 정 서쪽으로 가 금릉군(金陵郡)에 도착했다. 태수 금족(金族)은 군사들을 이끌고 말을 타고 나와 공명과 대치했다. 금족이 장수 하나에게 말을 타고 나오게 하자 군사가 매우 놀랐는데, 방통이 말했다.

"그는 악군(鄂郡) 사람으로, 성은 황(黃), 이름은 충(忠)이고 자는 한승(漢升)입니다."

군사는 위연에게 그를 죽이라 했지만, 2일 동안 승패가 나누어지지 않았다. 장비에게 싸우게 해 황충과 20여 합을 싸웠지만 승패가 나누어지지 않자 황충이 말했다.

"나는 운장은 알아도 장비 같은 이를 어찌 알겠느냐!"

위연은 10일 정도 공격해도 금릉군을 차지하지 못하자 군사가 말했다.

"황충이 이처럼 재능 있는 장수인데, 황숙께서는 그를 한나라에 항복시키지 못하시겠습니까?"

이에 한 사람을 형주로 보내 관장군(關將)에게 4천의 군사를 이끌고 오라 했는데, 관리들이 와서 진을 쳤다.

3일이 되지 않아 관장군과 황충, 둘이 싸웠지만 승부가 나지 않았는데, 군사가 방통에게 묻자 그가 말했다.

"예전에 (형주의) 네 군에 대해 이야기할 때 나 방통이 황충과 이야기한 적이 있었네. 황충이 '나는 강남의 한 도적이지만, 금족이 내게 은혜를 베풀었네. 금족이 있는 이상 나는 목숨으로 보답해야 하네. 만약 금족이 죽는다면 이후에 나는 새로운 주인을 보좌해야겠지.'라 했다네."

제갈이 말했다.

"황충을 얻겠구나."

3일이 되지 않아 무후와 황충이 싸웠는데, 무후가 패배하자, 금족이 진영을 떠나 몇 리를 따라오자, 금족을 막아섰다. 무후는 마차 넷을 준비해, 마차 안에서 군사들이 몸을 두고 화살을 쏘아 금족을 사살했다. 그리고 군사들을 나누어 진영으로 갔다.

3일이 되지 않아 황충이 복수하러 왔는데 방통이 말했다.

"황충, 이제 그만 항복하시오."

황충이 말했다.

"애게 근심이 하나 생겼다. 너희가 내 주공을 죽였으니, 내가 복수를 해야지 어찌 항복하겠느냐!"

장비와 말에서 100합 싸웠지만 승부가 나지 않았다. 그러자 위연이 말을 타고 나서 두 장수가 황충과 싸웠지만, 황충의 무예가 더 세지자 군사가 말했다.

"늙은 도적놈이 오히려 힘이 세져 안 되겠구나. 당차 황충을 베어야겠다!"

네 명이 말을 타고 싸웠는데, 하나가 피가 나며 한 장수가 말에서 떨어졌다.

한편, 황충은 말을 잃고 칼을 휘두르며 세 장수가 싸웠는데, 관공이 말했다.

"이런 대장부는 세상에 없을 사람이구나!"

군사들이 크게 외쳤다.

"세 장수는 말을 세우시오!"

무후가 좋은 말로 황충에게 말했다.

"한나라에 항복하시오."

황충은 금족을 묻고, 그 군사들은 군을 돌려 형주로 들어와 황숙을 만났다. 황숙은 세 장수를 보고 먼저 방통에게 말했다.

"현인(賢人)이시구려."

그리고 위연을 보고 말했다.

"어질고 덕행이 있구려."

그리고 말했다.

"그러나 내 동생 관공만큼은 아니구나."

그리고 3번째로 노장 황충을 보았다. 한편, 조승상(曹相)은 장안(長安)에서 관청 바깥에 앉아 관리들에게 물었다.

"2년 전을 생각해보면 홀로 곤궁했던 유비는 쫓자 하구에 들어갔는데, 5천의 군사로도 잡지 못했소. 지금은 그는 형주를 다스리고 30개의 군(郡)이 있고, 용맹한 군사는 5만이고, 맹장은 30명인데 어떻게 감당하겠는가. 그리고 문

(文)에 있어서는 제갈이 있고, 무(武)에 있어서는 관우, 장비 두 장수가 있네."

그리고 관리들에게 물었다.

"그대들은 어떻게 대적해야한다 보시오?"

그러자 대부(大夫) 가익(賈翊) 승상에게 대답했다.

"이전에 선군(先君, 앞선 황제)의 수하에 있던 서위주(西魏州) 평양부(平涼府) 절도사(節度使)로 성은 마(馬), 이름은 등(騰)이 있는데, 그는 동한(東漢, 후한) 광무제(光武)의 부하(手中)였던 운장(雲將) 마원(馬援)의 6세손입니다. 마등에게는 두 아들이 있는데, 큰 아들은 마초(馬超), 자는 맹기(孟起)이고, 둘째 아들은 마대(馬岱)입니다. 사람들이 이야기하기로는 이 세 장군들은 각각 만명도 그 용맹을 감당할수 없다 합니다. 마등은 제갈을 상대하고, 마초는 관공을 상대하고, 마대는 장비의 적수가 될 만합니다."

조조는 이를 황제에게 아뢰고 서위주 평양부에 조서를 내렸다. 절도사 변장(邊璋)과 부장 한수(韓遂)는 사신을 관아로 들여, 마등을 불러 조서를 받들게 하고, 조서를 읽어 장안으로 오게 했다. 마등은 준비한 뒤에 조정에 들어갔다. 그날 밤 마초가 아버지에게 말했다.

"왜 기뻐하지 않으십니까?"

마등이 말했다.

"아들아, 너는 선군(先君, 앞선 황제)의 수하로 있던 10명의 학사들(十學士, 십상시)이 권력을 농단한 걸 듣지 못했느냐? 그 이후로는 동탁이 권력을 농단했다. 지금은 조조가 천하에서 헌제를 끼고 베고 있어 살고 죽는 것은 모두 조공에게 달려 있구나. 내가 조정으로 들어간다면, 조공이 인덕이 있다면 붓 하나를 이를 끝낼 수 있겠지만, 그가 어질지 못한 자라면 황제의 도읍에서 죽게 되겠구나."

그리고 두 아들에게 말했다.

"편지가 너희들에게 도착하면 장안에는 가지 말거라. 만약 내가 죽게 되면 조조를 죽여 내 복수를 해 다오."

다음날 날이 밝자 마등은 길에 올랐다. 며칠이 지나 장안에 도착해 영금선원(永金禪院)에 머물렀다. 3일이 되던 날 황제를 만나 옛 직칙을 얻어, 마등은 성은에 감사를 표했고, 3일간 연회를 열었다.

어느 날, 황제는 수레에 앉아 멀리 광헌전(光軒殿)을 노닐다 가까운 신하를 불러 천하의 일에 대해 이야기했는데, 문관, 무관이 아무 말도 하지 않자 황제가 마등에게 물었는데, 마등이 말했다.

"천하를 다스리려면 요(堯), 순(舜), 우(禹), 탕(湯)을 본받아 천하를 태산처럼 평안히 하십시오. 걸왕(桀), 주왕(紂)의 무도(無道)한 점을 배우면 천하의 주인이 되실 수 없습니다. 폐하께서 신의 네 가지 일을 들어주신다면 천하를 태평하게 다스리실 수 있으실 것입니다."

황제가 어찌하면 되는지 묻자 마등이 다시 아뢰었다.

"멀리 변경의 군에게 상을 주고, 가까이 간신들을 없애고, 세금과 노역을 가볍게 하시고, 용서와 은혜를 무겁게 하십시오."

또 말했다.

"폐하께서는 초평왕(楚平王)이 간사하게 아들의 아내를 취하고, 황후, 태자, 혼주들을 서로 죽인 것을 듣지 못하셨습니까? 이는 재상(宰相) 비무기(費無忌)의 뜻대로 된 것입니다. 천하에서 진나라 호해(秦胡亥)에 대해 듣지 못하셨습니까? 그에게는 대부(大夫) 조고(趙高)라는 역적 신하가 있었는데, 그 때문에 천하를 잃은 것은 군주가 과실을 저지른 게 아닌 신하가 죄를 저질렀기 때문입니다."

황제가 아무 말도 하지 않자 한 사람이 외쳤다.

"마등은 조정이 들어와서 황제에게 어지럽게 아뢰고 있다! 네가 말하는 신하가 어디 있느냐?"

마등은 그를 보고 큰 소리로 말했다.

"조조, 네놈은 충신이 아니다! 내가 들어보니 네가 포상과 폄회하는데 참여하고, 봉하거나 상을 주는데, 이 모든 것이 네가 하는 것이다. 너는 황제를 거꾸로 매달아 두고, 조정을 계란을 쌓은 것처럼 위태롭게 하고 있다!"

그러자 문무백관들의 낯빛을 잃었는데, 헌제가 웃으며 말했다.

"마등, 그대가 아뢴 말은 틀렸소, 조조는 충신이오. 이 연회 자리에서 두 경들(卿)은 화해하시게."

날이 저물어 마등은 돌아갔는데, 조조는 그날 밤 3천의 군대와 여러 장수들에게 시켜 한 시진(時辰)만에 마등과 일행을 잡아 죽였다. 다음날 조조는 마등이 중풍으로 죽었다고 아뢰자, 황제는 매우 놀라며 관리들에게 장례를 치르라 했는데, 진실을 아는 자는 아무도 없었다.

한편, 마초와 마대, 두 사람은 꿈속에서도 불안해했는데, 마대에게 장안으로 가 소식을 들어보라 했다. 마대는 답답해하며 있었는데 갑자기 노비가 머리를 풀고 와서 울며 말했다.

"늙은 태위(太尉) 일가족들은 나이에 관계없이 모두 조

조에게 살해당했습니다!"

마대가 이를 마초에게 알리자 마초는 말없이 통곡했다. 태수 변장과 한수가 1만의 병사를 마초에게 빌려주었고, 며칠 뒤 평양부의 서쪽에 진영을 세웠고, 동쪽에는 조조가 군대 배치해 진을 세웠다.

마초가 말을 달려 나가 창을 잡고 싸움을 청하자 조조가 가를 보고 매우 놀랐는데, 마초의 얼굴은 살아있는 게(活蟹)같고, 눈은 별이 빛나고 있었고, 몸은 무겁게 두르고 크게 외쳤다.

"역적 조조 놈아, 내 부모님을 죽이다니 무슨 원한이 있어 그랬느냐!"

하후돈이 말을 달려 나가 마초와 싸웠는데, 수십 합을 겨루고 마초가 패하는 척 하자 하후돈이 쫓아갔다. 마초가 몸을 돌려 하후돈에게 활을 쏘자 거의 죽을 뻔했다.

양 군이 싸우는 중 마초가 조조군 하나를 잡아 물었다.

"역적 조조 놈은 어떻게 생겼느냐?"

그 군사는 죽음이 두려워 말했다.

"조공은 잘생긴 얼굴에 수염이 깁니다."

마초가 령을 내렸다.

"조조를 잡는 자에게 금과 진주 만 관을 주겠다."

조조는 이를 듣고 칼로 수염을 자르고 옷을 갈아입었다. 싸움이 늦게까지 이어지고, 다섯 황제가 나누어진 것처럼 만 개의 칼날을 피했다. 조조는 겨우 혼란을 피해 진영으로 돌아왔는데, 차나 밥도 먹지 못했다.

그날 밤 배를 이용해 위하(渭河)를 건너 진을 치도록 명했다. 북쪽 강변에 마초가 1만의 대군이 있어 모두 활을 쏘았다. 남쪽 강변에는 변장, 한수가 군사 3만이 활을 난사하

자 조조군은 물에 빠진 사람이 셀 수 없이 많았다.

한편, 말을 타고 협곡을 지나며, 조공은 안장 위에서 머리를 숨겨 강 하류로 내려갔다. 날이 밝아 배가 남쪽 강변에 도착하자, 조공은 말을 타고 도망치려 했지만 때마침 위하에서 마초가 그를 맞이했다. 마초는 조공을 잇달아 8번 싸웠고, 3일이 지나 조조는 탈출해 높은 언덕에 진영을 세웠다. 마초는 3만의 군대로 동남쪽에 진영을 세웠다.

며칠이 지나 선생 한명이 마초를 찾아오자 마초가 물었다.

“당신은 누구십니까?”

선생이 말했다.

“저는 화산(華山) 운대관(雲台觀) 신선(仙長) 누자구(婁子舊)요. 특별히 장군에게 계책 하나를 드리러 왔는데, 아버지의 원수를 갚을 수 있을 것이오.”

마초가 말했다.

"들어보겠습니다."

그가 말했다.

"마대에게 1만의 군사로 먼저 장안으로 쳐들어가 헌제를 구하고 역적 조조의 가족들을 죽인 다음에 역적 조조를 죽여도 늦지 않을 겁니다."

마초가 말했다.

"말씀 하신 건 너무 멀리 돌아가는 것 같습니다. 대장부라면 역적을 직접 죽이러 가야지. 그게 더 간단하지 않겠습니까!"

누자구(舊)는 마초가 엎드리지 않는 걸 보고 진영을 떠났다.

그는 3일 뒤에 조공을 만났는데, 관리들이 말했다.

"화산의 누자구입니다."

조공이 그를 맞이했는데, 선생이 말했다

"조공께 계책을 셋 드릴 텐데 가슴 속 근심에 관련된 것입니다."

조승상이 무엇인지 물었다.

"첫째 계책은 마초를 깨트리는 것입니다. 변장과 한수가 재물을 탐낸다는 걸 들어보셨습니까?"

그리고 가르쳐주었다.

"마초의 1만의 군사를 움직이는 겁니다. 며칠 뒤에 가까이 가 마초가 오랑캐들(胡人)에게 3만의 군사를 빌리면, 오랑캐들에게 금, 진주, 비단을 많이 주면 오랑캐 군사들은 모두 흩어질 겁니다. 그러면 마초는 진군할 수 없을 겁니다."

조조가 크게 기뻐했다.

"사부님의 말씀은 정말 맞는 말이군요!"

선생이 떠나자 관리들에게 조서를 내렸다.

"변장, 한수에게 금과 비단을 많이 주어 마초를 떠나게 해 1만의 군사들을 거두어라."

그 이후 2만의 군사들을 대리고 북쪽의 신야로 돌아갔다. 마초는 군사 3천을 잃고 조조군은 군사들은 수십만 명이 증가했다.

마초는 서쪽으로 달아났고 조조군은 뒤를 쫓았다. 마초는 검관(劍關)에 도착해 3만의 군사들을 만났는데, 그 우두머리는 장로(張魯)였다. 마초는 조조르 피해 서쪽으로 달렸다.

한편, 장로와 마초는 복수하려 했는데, 조승상은 15만의 군사들을 데리고 동쪽에 진을 치고 장로를 호랑이처럼 노려보았다.

대략 한 달이 지나고 장로가 마초에게 말했다.

"서쪽에 검관이 있는데, 나는 예전에 배고픈 백성이었던 유장이 이 관문을 통과하게 했었네."

장로와 마초는 서쪽의 관문 아래로 갔는데, 잔도(棧道)를 보니 산의 형세가 말할 수 없을 정도로 험했다. 장로는 검관을 군사들에게 호랑이 같은 눈으로 살펴보게 했다.

며칠이 지나 마초를 동융군(東戎郡)으로 데리고 갔는데, 검관 아래에는 사람을 죽이는 패거리들(劉獨霸)이 많이 있었다.

한편, 검관에는 강경한(強項) 공임(公任)이 유장에게 표를 올려 문무 관리들이 논의했는데, 대부(大夫) 장송(張松)이 말했다.

"동남쪽에는 오나라가 있고, 강동에는 형주 유비가 있고, 검관 아래에는 장로와 마초가 있으며, 또 장안에는 조조가 있습니다. 이들 제후들은 모두 서천(川)을 도모하려는 뜻이 있습니다. 현명한 재상으로 맞이해 그를 주공으로 세우면, 한 길로 주공이 서로 보좌할 수 있을 것입니다."

유장이 대부 장송에게 물었다.

"누가 형세가 큰가?"

"조조입니다."

이에 장송에게 서천의 지도(西川圖)를 가지고 작은 길을 통해 멀리 장안으로 가 조승상을 만나라 했다.

조승상은 장송을 만났는데, 신장이 5척 5촌이고, 얼굴은 노랗고 가죽은 여위었으며, 말을 100마디도 안했다. 조조가 기뻐하지 않고 집으로 돌아갔는데, 장송은 다시 시랑(侍郎) 양수(楊修)와 만나 말했다.

"조승상은 나를 깔보았네."

양수는 장송을 대하며 조승상의 덕을 이야기하며 그가 지은 맹신서(孟德書) 16권, 손자서(孫子書) 13편을 주었다. 장송은 이를 듣고, 양수는 대부(大夫, 장송)에게서 한 편을 가져갔는데, 병에 물을 부은 것 같고, 맹진(孟津) 동쪽에서 강이 흐르는 것 같았다. 양수는 크게 놀라 이를 조공에게 이야기해 다시 불러들이려 했다. 장송은 떠나버려 만날 수 없었다.

장송은 동남쪽으로 갔는데, 왕성한 기운을 보고 멀리 형주로 향했다. 며칠 뒤에 형산현(荊山縣)에 도착했는데, 형주에서 10리 되는 곳에서 여관(館驛)에 가서 머물렀다. 그곳 현에 이야기하고 황숙이 멀리 어디 있는지 알게 되었다.

장송은 다음날 성으로 가서 관리, 백성, 황숙이 관아 안으로 맞이하고 3일간 연회를 열었다. 장송이 관리들을 보니 용과 호랑이의 무리들이었는데, 왼쪽에는 와룡, 오른쪽에는 봉추, 정면에는 황숙이 있었는데, 이들 모두 고귀한 기운이 말로 표현할 수 없었다. 장송은 서천의 지도(西川圖)를 꺼내 형주의 왕(荊王, 유비)에게 주며 말했다.

"서천의 주군은 올바르지 않아, 황숙께서 점거하신다면 관리들이 모두 기뻐할 것입니다."

황숙은 제갈에게 서천에 보낼 편지를 써서 유장에 보내게 했다.

장송은 길을 떠나 한 달이 되어 집에 도착했다. 다음날 황제(帝, 유장)을 만나 조조가 인의가 없고(不仁), 또 그 전에 형주를 차지한 뒤에 유종(劉琮)을 베어버린 것을 생각하라 하자 황제가 물었다.

"또 누구를 만났느냐?"

"형주의 왕 유비는 덕이 있는 인물로 황숙께서 편지를 유장님께 주셨습니다."

황제는 문무 대신들에게 물었는데, 상대부(上大夫) 중 하나인 진밀(秦宓)이 말했다.

"주공께서는 현덕에 대해 듣지 못하셨습니까? 이전에 그는 오강(吳江)에서 군사를 빌리고, 주유에게 오강대전(吳江大戰)을 하도록 시키고 하구에서 구원받은 황숙입니다. 그리고 제갈이 주유를 세 번이나 기만한 걸 듣지 못하셨습니까?"

진밀(秦宓)이 다시 말했다.

“황숙은 교활한 인간으로, 그를 서천으로 맞이하면 주공께서 위기에 처할 것입니다.”

장송이 소리쳤다.

“대부는 잘못 알고 있소! 바로 판의 검관 아래의 장로와 마초 같은 자들을 감당할 이가 없소. 주공께서는 황숙이 한 황실의 종실 친척이라는 걸 들어보지 못하셨습니까!”

관리들이 아무 말도 하지 않자 유장은 법정(法正)에게 만나보도록 시켰다. 그는 며칠 안에 형주에 도착해 황숙과 군사를 만났는데, 며칠간 연회를 하고 군사가 말했다.

“동남쪽에 편지를 보내 오나라를 다스리게 하십시오. 황숙께서는 모르시겠지만, 형주의 북쪽은 북쪽 강변(江北)에 닿아있고, 그 곳에는 조조의 10만의 군사들이 주둔해 있습니다. 서천을 차지하면 조조에게 위기에 처할 것입니다.”

황숙이 물었다.

“조조를 물리치고 나서 제갈이 그 다음 서천을 차지하면 안 되겠소?”

이에 조공에게 편지를 써 싸울 날을 정했는데, 조조가 강을 건너지 못하게 하기 위해서였다. 그리고 사람을 통해 조공에게 편지를 보내자 조공은 이를 읽고는 꾸짖었다.

유비는 또 한 명의 선생을 원수(帥)로 임명했는데, 그는 바로 방통으로 싸워서 대패했다. 조승상은 형주를 빼앗을 기회를 얻어 30리를 쫓아왔는데 장비가 맞이했다. 조조이 북쪽으로 가자 위연이 1만의 군사와 함께 있었는데 조조군과 싸워 대패시키고 북쪽으로 달아났다. 그 앞에 한 고개가 있었는데 그 이름은 박저령(撲豬嶺)으로, 그 위에는 황숙이 있었고, 나무와 돌덩어리를 모두 떨어뜨렸다.

날이 저물어 그 길을 탈출했는데, 동쪽과 서쪽에서 불이 일어났다. 정북쪽에서 관우가 길을 막고 쫓자, 조조의 진영이 무너져 황애구(黃崖口)까지 갔다. 그 곳에는 1만의 군사들을 길을 막았는데, 그 우두머리는 황충이었다. 그가 조조를 잡으라는 명을 내리자 조조는 강하구(江夏口)를 통과하며 1만의 군사를 잃었다. 한나라의 군대가 그들을 쫓았는데, 앞에는 무후가 맞이했다. 조공의 군대는 5천명이 되지 않은 채로 도망쳐 돌아갔다.

한편, 군사의 군대대는 형주로 들어와 날을 정해 방통을 장수로 임명해 황숙과 서천을 차지하려 했는데, 제갈이 말했다.

"올해 간지(太歲)가 서쪽 방면에 있어 대장군 한 명을 잃을 것입니다."

방통이 웃으며 말했다.

"내 목숨은 하늘에 달려있어 두렵지 않네."

황숙은 방통, 황충, 위연 등의 장수들을 데리고 날을 정해 병사들을 보냈다. 가맹관(葭萌關) 앞에 도착하자 태수가 길을 막고 말했다.

“대부(大夫) 법정(法正)만이 황제의 뜻(聖旨)을 받았습니다.”

관리가 그렇게 말했기 때문에 법정만 서천으로 들어갈 수 있었다. (법정은) 황제의 도읍에서 유장과 만났는데, 그가 크게 기뻐하며 문무 관리들에게 말했다.

“나는 성도(成都)에 백리 떨어진 땅, 부강회(符江會)라는 곳에서 황숙과 서로 만나겠네.”

대부 진밀(秦宓)이 말했다.

“주공께서 부강회에서 황숙과 서로 만나시면 계란을 쌓은 것처럼 위태로워질 것입니다.”

여러 장수들이 모두 간언했지만 유장은 따르지 않았다.

며칠이 지나 3만의 군사, 110명의 맹장을 이끌고, 동쪽으로 가 부강회에서 20리 떨어진 곳에 진을 쳤다. 다음날 날이 밝아 유장과 서로 만났는데, 부강회에서 두 황제(二帝, 유장과 유비)는 각자 황실 조정 사람들이었기에 서로 안고 울었다.

시간이 지나 차와 식사 자리를 마치고 방통이 다시 잔을 들고 황충을 보았다. 황충이 검을 뽑아 유장을 죽이려 하자 현덕이 화내며 말했다.

“무례하게 굴지 마라!”

황충은 감히 손을 내리지(下手) 못했는데, 관리들이 모두 소란스럽다가 연회가 끝나고 관리들은 유장을 따라 본진을 떠났다.

이후에 방통이 황숙에게 말했다.

“오늘 서천을 얻지 못한 것은 저 방통의 잘못이 아니라 주공의 죄입니다.”

현덕이 말했다.

“그는 한나라 황실 사람인데, 어찌 손을 내리겠나!”

이후에 유장의 관리들이 모두 말했다.

“주공의 목숨을 잃을 뻔 했습니다!”

다음날, 유장은 유파(劉巴)를 시켜 황숙을 초청하자 방통이 말했다.

“가시면 안 됩니다. 도적들에게 붙잡힐까 걱정입니다. 가지 마십시오.”

위연, 방통은 황숙의 주변에 있으면서 3천의 군사를 모아 유장의 진영의 문에서 적들이 나쁜 생각을 못하게 했다. 다음날 유장은 황숙을 연회에 초대했는데, 유파, 원수 장임(張任), 상대부(上大夫) 진밀(秦宓)과 서로 다투었는데, 유장이 말했다.

“황숙은 인덕이 있는 사람이니 관리들은 그러지 말라!”

선주는 진영을 나와 자신의 진영으로 돌아갔다.

이후에 진밀이 유장에게 말했다.

“파주로 가시지요. 그 곳에는 태수 엄안(嚴顔), 원수와 같은 장수와 군사 5만이 있어 유비를 잡을 수 있습니다.”

유장이 응하지 않자, 장송, 법정 두 사람이 본진에서 논의했는데, 장송이 말했다.

"황숙은 덕을 행하고 의리를 행하고 방통을 믿으십시오."

장송이 말했다.

"부강회에서 유장을 죽이면 서천을 얻을 수 있을 겁니다."

장막 밖에서 한 사람이 이 말을 듣고 유장에게 말하자, (유장은) 즉시 장송, 법정을 잡으려 했는데, 군사들이 시끄러워 법정이 도망친 것을 알지 못했다. 관리들은 장송을 잡아 유장에게 데려가 말했다.

"유파, 대부 진밀이 유비가 서천을 도모한다고 말했지만, 저희는 이를 믿지 않았습니다. 그런데 이 두 역적이 바깥과 힘을 합쳐 서천을 교활한 역적 유비에게 바치려 합니다!"

장송이 말했다.

"주공께서는 손권이 서천을 도모할 뜻이 있다는 걸 듣지 못하셨습니까? 권력을 농단하는 조조가 서천을 도모하려는 것은요? 검관 아래의 동융군(東戎郡)의 장로, 마초 역시 서천을 도모할 뜻이 있습니다. 주공께서는 황숙이 인덕이 있어 나라 사람들이 모두 따른다는 걸 듣지 못하셨습니까? 그리고 그는 황실 친척입니다. 그가 이 주를 얻으면 어찌 한 군(郡)에서 편안히 노후만 보내게 하겠습니까?"

유장은 장송을 고통을 줘 죽이고 황급히 사람을 멀리 파주(巴州)로 보내 태수 엄안을 불렀다.

한편, 법정은 군사들이 시끄러운 틈을 타 도망쳐 진영을 빠져나와 황숙을 만나 이 일을 이야기하자 방통이 말했다.

“황숙께서 곤란해진 것은 저 방통의 잘못이 아닙니다.”

그리고는 즉시 군사를 일으켜 동쪽의 가맹관(葭萌關)으로 달려갔는데, 어떤 이가 보고했다.

“촉주(蜀川)의 원수인 강인한 성격의 장임(張任)이 5만의 군사를 이끌고 뒤를 습격했습니다.”

황숙은 동쪽의 면주(綿州)로 갔는데, 그곳의 태수 장방서(張邦瑞)가 길을 막고 2일간 대치했다. 방통은 샛길로 통과하려 했지만, 동북쪽 한주(漢州)에서 장승(張升)이 황숙을 막았는데, 양쪽에 산이 있었다. 방통은 위연에게 장방서를, 황충에게 장승을 상대하라 했다. 면주, 한주, 두 주에서 끼여 곤란해진 황숙은 며칠간 탈출하지 못했다. 장임이 이끄는 5만의 군사가 험한 곳을 지키자 방통이 황숙에게 말했다.

“100리 떨어진 곳에 성이 있습니다.”

이에 즉시 군사들을 이끌고 작은 길을 통해 낙성(雒城)으로 3일간 가서 성문을 두드렸다. 정 위에는 유장의 동생인 공자(公子) 유진(劉珍)이 있었는데, 방통이 온 것을 보고 화살을 쏘게 했다.

이러한 시가 있다.

"낙성에서 방통이 금화살에 맞아, 하늘이 보낸 영웅 한명의 목숨이 떨어지는구나. 봉충이 오래 살았다면, 셋으로 나누어진 나라가 어찌 조조나 오나라에게 갔겠는가."

군이 패배하고 돌아와 황숙과 만나 말했다.

"낙성에서 공자 유진이 활을 쏴 방통이 죽었습니다."

황숙은 눈물을 흘리며, 화살을 부러뜨리며(折箭) 맹세했다.

"훗날 반드시 복수하겠다!"

황숙은 미축(糜竺)에게 20기를 이끌고 작은 길을 따라 가맹관을 통해 형주로 가, 이 일을 군사, 관리들에게 알렸는데, 슬피 울지 않는 이가 없었다.

10일이 되지 않아 관리들이 군사를 모아 세 부대로 나누

었다. 조운은 자오성(紫烏城)을, 장비는 파주(巴州)로 가는 길을, 군사는 가맹관으로 가는 길을 맡겼다. 세 군대는 10만이 되지 않고 실제는 8만이었는데, 수정후(壽亭侯, 관우)는 형주를 지키기로 했다.

군사의 병사들은 형주를 떠나 20리가 되지 않는 곳에 진을 쳤다. 제갈은 장비에게 속히 구에 대고 속히 명령을 내렸는데, ㅈ아비는 1천의 군사들을 이끌고 동쪽으로 가 형주의 동남쪽을 지키고 작은 강변 위에 매복하라 했다. 이후에 3경(三更, 밤 11시~1시)이 되자 정북쪽에서 군대가 가까이 왔는데, 군사 3천명으로, 손부인이 수레 안에 아두를 데리고 동쪽의 오나라로 가버리려 했다. 장비는 말안장 위에 올라 소리쳤다.

“부인은 황숙께서 서천에서 고립되었다는 걸 알고 아두를 데리고 강남으로 가려 하시는 것이오!”

장비의 한마디 책망에 부인은 부끄러워(羞慚) 강에 몸을 던져 죽었다.

장비는 이후 군사를 따라 2일간 해군했는데, 장비를 왼쪽 수하로, 조운을 오른쪽 수하로 하여 군사는 정서 방향의 가맹관을 취하려 했다.

한편, 장비는 10일간 행군해 파구현(巴丘縣)에 도착하자 백성들이 도망쳤다. 장비는 서남쪽의 파주로 가 40리 떨어진 곳에 진을 쳤다. 어느 날 장비는 3만의 군사들과 파주에서 5리 떨어진 곳에 진을 치고 작은 강의 나루에 도착해 수심이 얕은지 알아보라 했다. 장비는 강을 건너 5리를 가서 강변으로 가려 했는데, 파주태수 엄안이 웃으며 물었다.

"장비, 너는 손무자의 병법을 읽어보았느냐? 물을 반쯤 건넜을 때 공격한다는 것 말이다!"

장비가 말했다.

"너는 내가 당양 장판파에서 조조의 100만의 군사들을 보고도 소리 질러 병사들이 움츠러든 걸 듣지 못했는가? 이런 작은 개천이 어찌 재앙을 일으키겠나!"

장비를 말을 끌어 안장 위에 올랐는데, 엄안이 전투 중에 말에서 떨어지자, 장비가 적군을 잡고는 숲에 도착해 말에서 내려 크게 외쳤다.

"나는 엄안이 서천의 명장이라 들었는데, 오늘 잡았구나.

베어라, 베어라!"

대장(大將, 엄안)은 이를 듣고 웃으며 말했다.

"장비, 내가 익숙하지 않아 말에서 떨어져 잡힌 것이다. 대장부는 목숨을 머리털처럼 버린다는데, 어찌 이렇게 될 줄 알았겠느냐. 베어라!"

장비가 칼든 이를 가리키며 말했다.

"엄안, 대장부구려!"

그리고는 묶인 끈을 풀어주라 했다.

장비가 또 말했다.

"서천의 군주 유장은 어리석고 나약해, 장송을 멀리 형주로 보내 검관 아래의 장로, 마초를 잡아 달라고 황숙께 구원을 청했소. 그러나 말을 교묘하게 꾸며 이 때문에 지금 황숙은 면주, 한주 사이에서 곤란을 겪고, 낙성에서 방통을 쏘아 죽였소. 군사께서는 군을 셋으로 나누어 서천을 얻어 황숙의 복수를 할 것이오."

그리고는 엄안에게 말했다.

"높이 나는 새는 숲을 가려 앉고, 현명한 신하는 주군을 가려 보좌한다 하오."

엄안이 말했다.

"나는 황숙이 바깥에서 맑은 덕이 있다 들었소. 장비 그대는 거친 연나라 사람이지만, 인덕이 있구려."

엄안이 죽음을 면해 항복하자 장비는 두려움 없이 엄안을 따라 파주로 들어가 3일간 연회를 열었다.

엄안이 계책을 내었다.

"서북쪽으로 100리에 백계령(白雞嶺)이 있는데, 내 생각에 장비는 의협심이 있어(好漢), 험준한 곳을 막을 수 있을 겁니다. 그곳에 노장 왕평(王平)이 있는데, 나랑 서로 아는 사이입니다."

엄안은 100기를 이끌고 북쪽의 백계령으로 갔다. 노장 왕평은 엄안과 알고 있었기에 서북쪽으로 함께 가맹관으로 달려갔는데, 이미 무후(武侯, 제갈량)이 관을 점령해 있었다. 장비는 문에 도착해 군사에게 보고했는데, 장비가 엄안과 함께 도착하자 군사가 장비의 공을 이야기했다.

조운은 자오성을 얻지 못했는데, 장비가 군사에게 왜 그런지 묻자 군사가 말했다.

"성 안에는 서천의 장수, 자신을 철비장군(鐵臂將軍, 강철팔 장군)이라 부르는 장익(張益)이 있는데, 그 기세를 감당하지 못해 조운이 패했네."

군사는 군사들을 이끌고 자오성으로 갔고 장익이 말을 달려 나왔다. 군사가 좋은 말로 장익을 설득했지만, 따르지 않고 장비와 말을 타고 교전했는데, 3일간 승패가 나뉘지 않고, 대략 1,100여 합을 겨루었다. 한 달 정도 지나도 자오성을 얻지 못하고, 황숙은 면주와 한주에 고립되어 생사를 알 수 없게 되었다.

이후에, 철비장군 장익과 관리들은 황숙을 어떻게 할지 의논했다. 원수 장임(張任)은 무후가 가맹관을 빼앗고, 파주를 손에 넣고, 백계령을 취하고, 엄안을 항복시시고, 군사는 한 달 동안 싸웠지만 물러나지 않아 어찌할지 고민했는데, 보고하는 사람이 와서 말했다.

"국구(國舅)가 군사 천 명을 데리고 가맹관으로 갔습니다."

자오성에 있던 장익이 말했다.

"국구 조사도(趙師道)는 조정의 반역자다!"

성에서 30리 떨어진 곳에서 국구를 맞이해 관아로 들여오자 그가 말했다.

"가맹관의 서천의 동쪽 문으로, 왕의 충성스러운 세력은 약한데, 태위(何保)가 어찌 지키겠습니까?"

장익이 말했다.

"관리들은 각자 본진을 지키면 됩니다. 지금 적군은 국경으로 들어와 자오성 아래에 있으면서 퇴각시킬 수 없는데, 어찌 가맹관을 구하겠습니까?"

국구가 술에 취해 거만하게 관리들을 세 차례나 꾸짖었

다. 장익이 관리들에게 말했다.

"유장은 어리석고 간신들이 권력을 농단하고 있소. 또 장송, 법정이 서천을 황숙에게 바치려는 건 그가 인덕이 있는 사람이기 때문이오."

그날 날이 저물어 관리들이 태수 장익을 찾아가 국구를 죽였다.

이에 사람들이 흩어져 한나라군(漢軍, 유비군)에게 잡혀 이를 군사에게 말하자 (군사가) 크게 기뻐했다. 제갈은 병부시랑(兵部侍郎) 이적(伊籍)에게 좋은 말로 장익을 설득해 자오성을 바치고 항복하게 했다. 군사는 장익을 군대의 원수(隨軍元帥)로 임명했다.

서쪽으로 낙성으로 가자 유진(劉珍)이 출전했는데, 관리들이 그를 잡고 백성들이 성을 바쳤다. 군사가 백성들에게 물었다.

“방통의 시신은 어느 곳에 있는가?”

시신을 내어오자 유진을 죽여 방통의 제사를 지내고 시신을 묻었다.

며칠 뒤 군사가 병사들을 서쪽으로 이끌고 한주에 도착하자, 그곳 태수 장승(張升)이 출전했지만 장비에게 붙잡혔다.

장익 이야기를 하자면, 그는 1만의 군사를 이끌고 면주로 가서 그곳의 태수 장방서(張邦瑞)와 장익이 교전했는데, 장방서가 대패해 도망쳤다. 장익은 군살르 둘로 나누어 서천의 군사들(川軍)과 싸워 흩어지게 하고 황숙을 구출했다. 그리고는 제갈승상과 만나 면주와 한주에서 얻은 금과 진주를 상으로 받았다.

며칠간 연회를 열고 황숙은 서쪽의 탁금강(濯錦江)으로 갔는데, 물살이 매우 거세고 승선교(升仙橋)라는 이름의 다리가 있었는데, 제갈이 말했다.

"이 곳은 신선(神仙)이 아니면 건널 수 없습니다."

군사들은 진영으로 돌아와 논의했지만 반 달이 지나도 앞으로 가지 못했다.

황충 이야기를 하자면, 그날 밤 3경(三更, 11~1시)에 한 사람이 크게 외쳤다.

"한승(漢升)!"

그러자 물었다.

"누구시오?"

"장막 밖으로 나오시게. 나는 방통이오."

그리고는 다시 말했다.

"나는 네 군(郡)으로 장군(將軍)과 반란을 일으켰지만, 황숙에게 투항했었네. 이전에 서천을 얻으려다 낙성의 요새(雒城誤)에서 화살을 한 발 맞아 지금은 죽은 상태네. 장군이 유진을 죽여 복수한 것에 감사드리네. 지금 나는 하늘로 올라가 따로 답례할 수는 없네. 황숙은 지금 서천을 얻으려 하는데, 3일이 지나면 장군은 머리에 노란 도포 옷을 입고, 몸에는 노란 도포를 입으면 내가 그대를 도와 공을 세우게 하겠네. 내가 은혜를 보답하기 위해 황숙이 다리를 빼앗을 수 있도록 돕겠네."

황충은 잠에서 깨어 낡이 밝고 나서 군사에게 말했다.

그리고 3일이 지나 무후는 관리들에게 날을 정해 10만의 군사들을 이끌고 모두 승선교의 동쪽으로 가 진을 펼치게 했다. 군사는 바람을 일으키도록 제사를 지내고, 황충은 말을 달려 나가고, 10명의 명장들이 황충을 따라 다리 위로 갔다. 천둥 같은 큰 소리가 한 번 울리고, 모래와 돌이 사방으로 날렸다. 순풍(順風)을 맞이한 쪽은 기세가 살아나고, 역풍(逆風)을 맞이한 쪽은 소나무 가지처럼 꺾여 누각에서 뛰어내리고 물로 뛰어들었다. 황충은 칼을 휘둘러 문을 열고 관리들은 문을 통해 안으로 들어갔다. 서천 장수의 원수장임은 3합이 되기 전에 황충에게 베어 말에서 떨어지고, 서천의 군사들은 40리 후퇴했다.

이를 증험하는 시가 있다.

"밤중에 꿈에 방통이 나타나 계책을 바쳐, 모래와 돌이 싸움을 돕고 결국 상처입게 되는구나. 승선교 위에서 서천의 군사들이 패하고, 탁금강(濯錦江) 물살이 세차게 일어나는구나. 누각에서 뛰어내리고 물로 뛰어들고, 바람이 나무를 흔들고, 쇠사슬을 끊어 문을 열고 검으로 대들보를 끊는구나. 이 당시 신선같은 군사(神師)의 계책을 쓰지 않았다면, 어찌 성도(成都)

에서 한나라 왕(漢王)의 자리에 앉을 수 있었겠는가.”

또 이런 시가 있다.

“탁금강(濯錦江) 속에 오래 전(千古) 가을, 승선교(升仙橋) 위에는 한나라 왕후(漢王侯)가 있구나. 당시에 연회에서 방공(龐公, 방통)의 계책을 알았다면 누각에서 뛰어내리는 일을 면할 수 있었건만.”

군사가 승선교를 빼앗고 장임을 베자 서천의 군사들이 모두 흩어졌다. 황숙은 며칠간 연회를 열고, 군사들을 이끌고 서쪽의 금구관(金口關)으로 갔는데, 그곳 태수 마수충(馬守忠)이 말했다.

“대군이 올 것입니다.”

마수충이 또 말했다.

“서천은 주인을 지킬 수 없을 겁니다.”

한 사람이 말했다.

“한나라 군대(漢軍, 유비군)가 가까이 왔습니다.”

장비가 교전해 마수충을 패배시키고 황충이 뒤쫓아 금구관을 빼앗았다. 태수가 이를 맞아 싸우려 했지만 황충에게 베어져 말에서 떨어졌고, 이후에 황숙은 관위 에 갔다. 군사가 묻자 백성들이 말했다.

“서쪽으로 100리를 가지 않아 익주(益州) 성도부(成都府)가 있습니다.”

3일이 되지 않아 성도부에 도착했다. 이후 유장은 스스로 서천의 주인이 될 수 없다는 걸 알고 백성들을 이끌고 팔을 걷어 양을 끌며 멀리서 문사를 맞이했는데, 유장이 말했다.

“한나라 황실 친족 황숙의 얼굴을 뵙고 고합니다. 한 개의 군에서 오랫동안 요양할 수 있도록(養老) 요청합니다.”

군사가 말했다.

“대왕께서는 안심하십시오. 황숙께서는 분명 그대의 목숨을 살려주실 겁니다.”

그러면서 제갈은 몰래 유장을 가두었다. 황숙이 익주 성도부를 얻자 관리들이 모두 기뻐했고, 10간 연회를 열었다. 어떤 이가 와서 알렸다.

“검관 아래 동융군에 장로, 마초 등이 군사 10만을 이끌고 검관 위로 올라와 양평관을 빼앗았습니다. 그 뒤에는 조조의 20만 군대가 있습니다.”

3일이 지나지 않아 군사는 5만의 군사를 이끌고 동쪽의 양평관에 도착했다. 한 사람이 보고했다.

"마초가 3만의 군사를 이끌고 왔습니다."

무후는 위연에게 동쪽으로 가 마초에 맞서게 했다. 양군이 대치중에 마초가 패한 천 하며 위연에게 화살 한 발을 쏘았다. 군사가 대부(大夫) 이적(伊籍)에게 멀리 마초를 만나 군사(軍師, 제갈량)에게 투항하게 하고, 장로가 조조를 공격하게 했다.

또 이야기하자면, 군사는 군사들을 이끌고 익주로 와서 황숙과 연회에 참여했다. 관공을 수정후(壽亭侯)에, 장비를 서장후(西長侯)에, 마초를 정원후(定遠侯)에, 황충을 정란후(定亂侯)에, 조운을 입국후(立國侯)에 봉했다. 황숙은 이들은 은혜로 오호장군(五虎將軍)에 봉했는데, 오직 친애하는 동생 관공만이 그 자리에 없었기에, 심복(心腹)이 되는 사람을 금과 진주와 함께 형주로 보내 관공을 수정후에 봉했다. 명을 받고 형주로 가 만났는데, 관공은 황숙께 예를 표하고 사신의 관직으로 임명하는 말을 들었다.

"마초는 매우 용맹해 원숭이 같은 팔로 활을 잘 쏘아 당해낼 사람이 없다 합니다."

관공이 말했다.

"나는 도원결의(桃園結義)로서 형제가 된 지 20여년이 되었는데, 관우, 장비 두 장수를 당해낼 사람은 없네!"

그리고는 편지를 서천으로 보내 군사가 보게 했다.

반 달이 되지 않아 다시 편지가 도착했는데, 관공이 이를 보며 웃으며 말했다.

"군사의 말의 당연히 맞는 말이지."

관공이 관리들에게 이야기했다.

"마초란 자는 장비, 황충과 나란한 실력이고, 나와 견주기는 어렵다 하오."

관공은 날이 흐리면 팔에 통증이 있어 관리들에게 말했

다.

"예전에 오나라 적 한보(韓甫)가 내게 화살을 한발 쐈는데, 그 화살에 독이 있었네."

이에 화타(華陀)를 불렀는데, 화타는 역적 조조에게 있던 사람으로, 조조가 인의가 없어, 형주에 관공이 팔에 상처에 독이 있다는 걸 듣고 만나러 온 것이었다.

화타가 말했다.

"기둥을 하나 세우고 그 위에 고리에 못을 박아 팔을 뚫어야 통증이 나을 겁니다."

관공이 크게 웃으며 말했다.

"나는 대장부인데, 어찌 그런 일을 두려워하겠는가!"

그리고는 주변에 명을 내려 금 쟁반 하나를 받들게 하고는, 관공은 팔의 소매를 걷어 올려 화타에게 뼈를 깎아 독으로 인한 병을 고쳐 달라했다. 관공은 얼굴을 찌푸리지 않고 부스럼을 없애는 걸 마쳤다.

이를 증명하는 시가 있다.

"천하를 셋으로 나누어 전쟁을 끝내려 하고, 관장군은 영웅의 뜻을 가졌구나. 뼈를 깎고 부스럼을 없애 질병을 낫게 하고, 갈철 칼로 살을 도려내 병을 가라앉혔구나. 말이나 얼굴을

바꾸지 않고 촉(蜀)의 손님을 맞이하고, 낯빛은 의연하게 음식(飮□)[11]을 먹는구나. 이는 신선(神仙)이 묘한 술법을 감춘 것인데, 오래 전 명의(名醫) 화타를 말하는 것이겠구나."

수정후(壽亭侯, 관우)는 뼈를 깎고 병을 고쳐 4개월이 되자 상처가 나았다. 어느 날 정탐하던 사람이 와서 말했다.

"강오(江吳)의 상대부(上大夫) 노숙(魯肅)이 만 명의 군대로 강을 건너와 편지를 전달했는데, 관공께서 단도회(單刀會)에 참석해 달라 합니다."

관공이 말했다.

"단도회에서 분명 계책이 있겠지만, 내 어찌 두려워하겠나!"

그날이 되자 관공은 가벼운 활, 짧은 화살, 훌륭한 말, 친한 사람(熟人)이 칼을 차게 하고, 50여명이 안 되는 사람과 남쪽의 노숙의 진영으로 갔다. 오나라 장수들은 관공이 갑옷(衣甲)은 전혀 입지 않고 허리에는 단도 하나만 차고 있는 걸 보았다. 관공은 노숙을 따르는 3천 군사들을 보았는데, 갑옷을 입고 있었고, 관리들은 모두 (노숙을) 보호하려는 걸 보고, 군후(君侯, 관우)가 생각했다.

---

11) 飮뒤의 글자는 훼손되어 알 수 없으나, 음식(飮食) 또는 음주(飮酒) 정도가 문맥상 자연스러워 보인다.

'적장은 무슨 뜻을 가지고 이러는가?'

차와 밥을 먹고 술을 내오고 군사들에게 음악을 연주하게 했는데, 피리 소리(笛聲)가 세 번이나 틀리자 대부(大夫, 노숙)가 크게 외쳤다.

"궁상각치우(宮商角徵羽)![12], 또 우(羽)음이 들리지 않는구나. 세 번이나 말이다."[13]

관공이 크게 화나 노숙을 잡고 말했다.

"적장은 아무 일도 없이 연회를 열고 그 이름을 단도회(單刀會)라 하고, 군사들에게 음악을 연주하라 하고는 소리도 나지 않다니. 네가 감히 우(羽)음이 울리지 않는다 하다니, 오늘 이 거울을 먼저 깨트려버리겠다!"

노숙이 땅에 엎드려 말했다.

---

12) 궁상각치우(宮商角徵羽) : 동양 음악의 다섯 음.
13) 우(羽)는 관우(關羽)의 우(羽)와 같은 글자이다.

"감히 그런 것이 아닙니다."

관공은 그의 목숨을 살려주고 말에 올라 형주로 돌아갔다.

이후, 노숙은 사람을 보내 원수 여몽(呂蒙)을 초청해 5만의 군사를 이끌고 장사(長沙) 4군을 빼앗았다. 관공은 이를 듣고 사람을 보내 익주에 구원을 요청하자 제갈이 군사들을 이끌고 형주에 도착했다.

관공은 형주를 지키고 군사는 6만의 군대와 다섯의 상장(上將)을 이끌고 여몽과 대치했다. 한나라 군(漢軍, 제갈량 군)이 패하자 여몽은 20리를 쫓았는데, 장비가 길을 막자 오나라군은 패배하고 한나라 군이 뒤를 쫓아 장사(長沙) 4군의 강변에 도착하자, 복병이 나타났다. 조운이 출전하자 오나라군이 대패해 진영으로 달아났지만, 황충이 길을 막고 또 그들과 싸웠다. 여몽이 달아났지만 3천의 군사가 길을 막았는데, 제갈이 다시 싸워 여몽은 강으로 달아나고 오나라군은 강을 따라 도망갔는데, 마초가 길을 가로막아 다시 한바탕 싸웠다. 노숙, 여몽은 5만의 군사들이 꺾여 돌아온 이들은 3천이 되지 않았다. 여몽과 관리들은 강변의 갈대숲으로 가 오나라 군대가 탈출할 수 있었다.

한편, 여몽은 군대를 수습해 남쪽 강변에 있으면서 북쪽 강변에 있는 군사(軍師, 제갈량)와 서로 한 달간 대치했다. 손권은 손량(孫亮)에게 3만의 군사로 여몽과 함께 강을 무후(武侯, 제갈량)와 강을 사이에 두고 대치하게 했는데, 손량이 하늘을 향해 맹세했다.

"형주와 오나라 땅은 입술과 이의 사이(唇齒之邦)인데, 지금은 서로 돌아보지 않습니다. 그러나 저 손량은 패해 군을 데리고 돌아가게 되었습니다. 형주는 물고기와 쌀이 있는 곳으로, 이전에 이 형주를 빌려 서천을 도모해 이득을 취하려 했는데, 이제야 이에 응할 수 있겠습니다."

군사가 말했다.

"서북쪽에는 위나라 군대가 있고, 동남쪽에는 강오(江吳)가 있어, 군후(軍侯, 관우)가 없으면 딱히 이를 지킬 사람이 없습니다."

군사는 군사들을 돌려 성도로 돌아오자 황숙이 연회를 열었다. 두 달 정도 지나 하급 군인이 와서 보고했다.

"조조군 30만 명이 동융군(東戎郡)을 합병해 장로의 군사 10만이 합쳐졌습니다."

이에 제갈은 군사 50만, 30명의 명장을 일으켜 동쪽의 양평관(陽平關)으로 가 10리 되는 곳에 진영을 세웠다. 한 사람이 조조군에 알렸다.

"서천의 군대가 왔습니다."

양평관 태수 이적(伊籍)이 군사를 맞이해 말했다.

"조조군이 여기서 40리 되는 곳에 진을 쳤습니다."

군사가 말했다.

"적장이 검관(劍關)을 빼앗아 다시 양평관으로 와 서천을 도모하려는 뜻을 가진 것이다. 내일 내가 결전을 벌일 텐데, 누가 감히 역적 조조를 잡겠느냐?"

한 사람이 크게 통곡하며 말했다.

"저희 부모님이 모두 역적 손에 살해당했습니다!"

군사가 이를 보니 마초였는데, 그가 제갈의 계책을 받았다. 다음날 새벽, 양 군이 맞이하자 조공이 말했다.

"유비 너는 유장을 폐위시켜놓고 다른 사람보고 반란한 신하라 부르는구나!"

그리고는 하후돈(夏侯敦)에게 명해 말을 달려 나가게 했다. 유봉(劉封)이 교전했는데, 날이 늦어져 각자 군사를 돌려 진영으로 돌아왔다. 조공이 말했다.

“30만의 군사들로 서천에서 유비를 공격해 그 촌뜨기를 죽여야겠다!”

아침 일찍부터 싸워 그날 밤 3경(三更, 11~1시)이 되자 어떤 이가 보고했다.

“노장 한 명이 군량을 가지고 관(關)으로 왔습니다.”

그러자 황충이 진영을 습격했는데, 조조군은 혼란 속에 모두 도망가고 복병이 나타나 공격했다. 검관까지 가서 마초가 나타나 공격했다. 날아 밝자 조공이 탈출했지만, 하루 밤낮 사이에 10만의 군사를 잃었다.

10일이 지나 조공은 정탐병을 보냈는데, 군사가 이적과 마초에게 양평관을 지키게 하고, 무후(武侯, 제갈량) 자신은 서천으로 들어갔다는 걸 들었다.

조공은 10일이 지나 군사들을 이끌고 양평관으로 쳐들어갔다. 마초는 술에 취해 전투에서 패하고 위나라 장수 장료(張遼)에게 양평관을 빼앗겼다. 마초는 감히 군사를 뵐 수 없어 몰래 도망쳤다. 조공이 이를 듣고 30만의 군사, 100명의 장수를 이끌고 양평관을 이후에도 습격했다. 태수 이적은 기마 100기도 안되는 사람들을 데리고 3일 밤낮으로 서천으로 도망쳤고, 군사가 이를 알게 되었다. 이후, 조조는 정탐을 시키고는 자오성(紫烏城) 앞으로 갔다. 조조가 말했다.

“자오성은 서천을 막는 험준한 땅이다.”

조공은 군사들을 이끌고 관으로 갔는데, 백성들이 일상 생활을 하는 걸 보고, 군인들이 저잣거리에서 노는 것을 보았다. 조공이 말했다.

“나는 마음이 급하다.”

장료가 보고했다.

“이는 제갈의 계책입니다. 자오성 백성들이 술에 취해 군인들과 즐기는데, 이는 ‘언기식고(偃旗息鼓)’[14]라 부릅니다. 만약 성 안으로 들어가면 동북쪽으로 빠져나갈 수 없을 것입니다.”

이후 군사가 생각한 대로 명장 위연이 조조군을 공격해 대패시켰다. 왼쪽에는 유봉, 오른쪽에는 조운이 날이 밝을 때까지 추격했고, 장비가 길을 막고 공격해 양평관까지 가, 군사가 관을 탈환했다. 황충 또한 조조군을 공격했다.

조조는 검관으로 달아나다 마초와 만나 다시 교전했다. 조조는 관을 떨어뜨리고 갑옷을 잃고 도망쳐 검관을 탈환하게 되었다.

한 달 정도 지나 군사는 검관에 군사들을 주둔시켰고, 조공 또한 군사들을 검관에서 40리 되는 곳에 진을 쳐 주둔

---

14) 언기식고(偃旗息鼓) : 전쟁터에서 군기를 누이고 북을 쉰다. 휴전을 뜻함.

했다. 한 사람이 정탐해 조공은 30만의 군사가 있고, 또 30만의 군사는 정군산(定軍山)에 있다는 것을 알게 되었다. 하후연(夏侯淵)에게 30만의 군사가 있었는데, 100개의 집을 짓고, 그 곳에 50만의 양식이 있어 서천을 호랑이가 보듯 보았는데, 그 곳을 험준함을 이용해 지키고 있었다.

그 곳에는 분주(汾州) 절도사(節度使) 우창(于昶)이 양식을 정군산의 진영으로 날랐는데, 군사가 말했다.

"만약 조공이 검관 밖의 30주를 점령한다면 서천은 편치 못할 것이다!"

그리고는 관리들에게 물었다.

"누가 감히 정군산을 공격해 하후연을 베고 식량 50만을 빼앗아 오겠는가?"

한 사람이 나왔는데 황충이었다.

"제가 하후연을 베고 정군산을 빼앗아 식량 50만을 취하

겠습니다."

무후가 기뻐하며 1만 군사를 농주(隴州)로 보내 배와 수레를 빼앗고 우창을 공격하라 했다.

한편, 황충은 정군산에 도착했는데, 하후연이 말했다.

"관우, 장비 두 장수가 있다는 건 아는데, 1만의 서천 군사 중에 노장 한명이 있다는데, 감히 정군산을 노리고 있다고!"

이에 군사들을 이끌고 산을 내려와 황충과 말을 타고 싸웠다.

하후연이 3합이 되기 전에 대패해 산 위로 도망가자 황충이 말했다.

"대장부가 어찌 사람 아래 있겠느냐? 하후연을 베지 않고, 정군산을 뺏지 않으면 대장부라 할 수 없다!"

황충은 다시 싸움을 걸어 하후연을 베어 말에서 떨어뜨

리고 식량과 험준한 땅을 차지했다. 이에 대해 사관(史官)이 남긴 시가 있다.

“정군산 아래에서 전쟁을 끝내고, 황충 홀로 하후연을 잡았구나. 군량을 취하고 장수를 죽여 산꼭대기에 올라, 북을 치고 깃발을 빼앗아 진격하는구나. 호랑이 같은 눈빛으로 검관에서 위나라 진영을 부수고, 용이 황제의 자리로 돌아와 촉의 서천(蜀川)에 있구나. 공신들의 그림은 능연각(凌煙閣)에 걸리고, 역사서에 높이 쓰여 여러 고전과 오래토록 전해지리라.”

황충이 멀리 장비에게 편지를 전하자 장비가 말했다.

“형님께서는 항상 노장 황충이 큰 공을 세울 것이라 했는데, 어찌 다른 사람에게 그 공을 주었는가. 황충이 정군

산을 빼앗아 나를 놀리는구나!"

장비는 군사들을 이끌고 우창(于袒)을 찾아 숲에서 등자에 걸터앉고 쉬고 있었는데, 한 사람이 알렸다.

"우창의 군대가 숲을 통과하기 위해 오고 있습니다."

장비는 즉시 말에 올라 우창을 잡아 멀리 검관으로 가 군사에게 보고했다.

조공은 두 번이나 서천을 빼앗으려 했지만 60만의 군대가 한 번의 패배로, 그 군사가 10만이 되지 않고, 높은 곳에 주둔했는데, 이를 말하자면 양이 울타리 밖을 못나가는 것과 같이(羝羊觸藩)[15], 나아가는 것과 퇴각할 문이 없어, 서천을 차지할 수도 없고, 또 제갈이 뒤에서 습격하는 걸 두려워하게 되었다. 군사는 승상(丞相)에게 편지를 보냈는

---

15) 저양촉번(羝羊觸藩) : 뿔로 받아 앞으로 나아가기만 좋아하는 숫양이 울타리에 부딪혀 앞으로 나아가지 못한다는 말. 앞뒤로 움직임이 자유롭지 못하다는 뜻.

데, 승상이 편지를 보니 이랬다.

“조조, 너에게 검관 밖 13개 주(州)와 4개의 군(郡)을 주겠다. 석방(石防)과 농(隴)까지의 4개의 군의 땅 말이다.”

조조가 생각했다.

‘제갈의 뜻이 무엇인가?’

조조는 10일 뒤에 군사들을 이끌고 석방군 4주(四州)의 경계로 갔는데, 살기가 띠자, 조조가 말했다.

“이는 제갈의 계책이구나.”

그리고는 높은 곳에 큰 진영을 세우고 갑옷을 입고 앉아 움직이지 않았다. 하루는 조조가 밤에 고요히 다니다 군인들이 군수품(行李)을 싸는 것을 보고는 조조가 물었다.

“병부시랑(兵部侍郎) 양수(楊修)가 관리들을 시켜 군인들이 짐을 싸라 명을 내렸습니다.”

“군인들의 마음을 부채질해 흔들다니 너는 무슨 뜻으로 이리 했느냐?”

양수가 말했다.

“어제 아침식사를 마치고 승상께서 닭갈비(雞肋)를 보고 탄식하시며, 입맛이 없다며 아깝지만 버리셨는데, 이를 보고 승상께서 군대를 돌리시려는 것을 알았습니다.”

조조가 크게 꾸짖었다.

"3년 전에 너와 같이 다니면서 조아(曹娥)의 여덟 글자 비석(八字碑)을 보았을 때, 나는 이게 무슨 뜻인지 해석하지 못해 너에게 물었지만 너 역시 대답하지 못했다.

날이 밝아 나는 그 뜻을 깨달았는데, 황견(黃絹)이라는 글자는 색실(色系)이기에 절(絕)이란 글자(子)[16]와 같고, 유부(幼婦)라는 글자는 젊은 여자(少女)를 뜻하기에 묘(妙)와 같고, 외손(外孫)이라는 글자는 딸의 자식(女子)을 뜻하기에 호(好)와 같고, 제구(□臼, 부추 찧는 절구)라는 글자는 고통 받는 것(受辛)을 뜻하기에 사(辭)와 같다.[17]

이 때문에 이 여덟 글자(黃絹幼婦外孫齏臼)는 문장이나 시가 특별히 뛰어났다(絕妙好辭)라는 뜻인 것이다."

그리고는 조조가 꾸짖었다.

"너는 제갈과 감히 대적할 수 없다 보고 나를 보잘 것 없는 풀(草芥)처럼 여겨 제위를 찬탈할 마음이 있는 것이다!"

그리고는 양수를 베라 했다. 관리들이 말렸지만 듣지 양수를 처형했다. 그날 밤, 군사를 돌려 동쪽의 자림도(紫林渡)로 갔다. 대략 20리를 가자 동쪽 길에 남북으로 한 줄

---

16) 자(子)라 기록되어 있지만, 자(字)의 오기로 보인다.
17) 황견유부 외손제구(黃絹幼婦 外孫齏臼)는 세설신어에 나오는 조아의 비문이다. 본문은 제(齏)자가 훼손되어 그 글자를 확인할 수 없지만, 세설신어 내용을 통해 그 내용을 알 수 있다.

기 강이 있고 다리가 있어 군사들이 건너가려는데, 뒤에서 다리가 부서지고 양쪽 언덕에서 불길이 일었다.

남쪽에서 위연이 1만의 군사들이, 북쪽에서 조운이 1만의 군사들이, 뒤쪽에서 군사가 3천의 군사들이 습격해왔다. 날이 밝아 대략 80리를 가자 앞에서는 3천의 군사들이 나타났는데, 황충, 장비가 싸움을 걸어왔다. 조조는 겨우 탈출할 수 있었지만, 사람들과 말이 지쳐 나아갈 수 없었다. 그런데 마초가 맞이하고, 뒤쪽에서는 무후가 10명의 명장들과 함께 기습했다. 마초의 3만의 군사들이 크게 한 번 싸움을 별였다. 조조는 관중(關中)으로 가도록 명했는데, 대군은 5천명도 남지 않게 되었다. 조조는 관이 벗겨지고 머리를 풀어헤치고 안장에 기대 피를 토하고 며칠이 지나 장안으로 가게 되었다.

3일이 지나 황제를 뵙고 며칠간 연회를 열었다. 상대부(上大夫) 가익(賈翊)이 몰래 조조에게 말했다.

“헌제의 아들에 대해 관리들이 말하기로는 천하의 관원들은 봉하는 건 전부 조승상(曹相)이라 합니다. 이 때문에 태자가 승상을 해치려 합니다.”

조승상은 아무 말도 하지 않았는데, 며칠 뒤 황제에게 아뢰었다.

“춘추시대(春秋)에 나이 많은 평왕(平王)의 아들 미건(彌建)은 제위를 찬탈하려는 음모를 꾸며 아버지를 죽였지만,

천지가 따르지 않았습니다."

헌제가 다시 물었다.

"무슨 뜻이오?"

조승상이 말을 지어냈다.

"조정의 관리들이 모두 마하는데, 태자는 술에 취해 여러 차례 폐하의 수명이 너무 길다(聖壽高) 이야기하고, 다른 사람이 군주가 되어야 한다 하는데, 태자가 궁궐 안에서 화를 일으킬까 두렵습니다."

황제가 말 없이 생각했다.

'왕망(王莽)은 평제(平帝)를 죽이고 천하를 빼앗았는데, 내 아들은 적자(的子)로 설마 그런 뜻을 가졌겠는가?'

그리고 다시 묻자 조승상이 아뢰었다.

"어사대(御史台)를 통해 태자를 추궁하십시오."

조조는 사람을 보내 태자를 채찍질했는데, 태자는 황제의 아들로 용의 후손이었지만(帝子龍孫), 고문을 견디지 못하고 죄를 빌었다. 조조는 헌제에게 태자의 일을 아뢰자 헌제가 물었다.

"어떻게 죽이겠느냐?"

조조가 말했다.

"도성 시장에서 죽이시지요."

헌제가 말했다.

"내 아들은 왕제의 자식, 용의 후손인데 어찌 저잣거리에서 목을 베겠는가?"

조조가 다시 아뢰었다.

"예로부터 내려오기로, 군주가 되기 위해 아버지를 죽이려는 자를 어찌 용서하겠습니까!"

헌제가 대답하지 않자 전각의 관리(殿官) 태위(太尉)에게 저잣거리에서 태자를 참수하라 하게 했다. 이에 수도의 사람들이 말했다.

"유씨는 이제 주인이 되는 일이 없겠구나!"

헌제는 조조가 두려워 그를 대위왕(大魏王)으로 임명하고, 오나라 땅에서는 손권을 대오왕(大吳王)으로 임명했다. 서천에서는 이를 알고 무후가 황숙에게 말했다.

"스스로 한중왕(漢中王)에 오르셔야 합니다."

선주는 눈물을 흘리며 생각했다.

'한고조(高祖)는 검을 차고 흰 뱀(白蛇)을 망탕산(芒碭山)에서 베고, 진나라(秦)를 거두고 초나라(楚)를 멸망시켰다. 이는 몇 년만에 이루어진 일인데, 지금 헌제가 나약하고 조조가 권력을 농단하며 태자를 모함해 해치고(誣害), 한나라의 뿌리를 끊었는데, 이 모든 것이 역적 조조의 계책

이구나.'

그리고는 며칠간 병으로 누워 제갈에게 물었다.

"내게 두 아들이 있는데, 큰 아들은 유봉(劉封)이고, 다음 아들은 유선(劉禪)이오. 누가 서천의 주인이 되어야 겠소?"

제갈은 관리들과 의논했는데, 병을 이유로 며칠간 나오지 않았다. 선주가 사람들에게 군사에게 묻게 했는데, 군사가 말했다.

"병으로 움직일 수 없으니, 대왕께서는 멀리 형주의 관공께 물어보시지요."

관공이 말했다.

"유봉은 나후(羅侯)의 아들이고, 유선은 친자식입니다."

이 글을 선주에게 보여주자 선주가 말했다.

"내 동생 말이 맞구나."

며칠 뒤, 유봉을 가맹관(葭萌關) 절도사(節度使)로 임명하고, 맹달(孟達)에게 보좌하게 했다.

또 며칠이 지나 한중왕(漢中王, 유비)은 글을 통해 유선을 서천의 주인으로 삼았다. 유선이 이를 듣자 말했다.

"현덕(玄德)은 인의가 없구나."

맹달이 말했다.

"이는 황숙의 잘못이 아니라 관공의 죄입니다."

유봉은 화살을 부러뜨리고는 맹세했다.

"언젠가 반드시 이를 복수하겠다!"

그 이후 관공 이야기를 하자면, 반년 정도 지나 어떤 이가 강남에서 사시니 왔다고 알렸는데, 강오(江吳)의 상대부(上大夫)가 말했다.

"오나라 왕의 아들께서는 형주의 왕(荊王, 관우)에게 딸이 하나 있다 들었는데, 두 집안이 결혼으로 맺어지는 게 어떻겠습니까?"

관공이 술에 취해 말했다.

"내 용, 호랑이 같은 자식을 어찌 채소 키우던 후손한테 시집 보내겠나!"

그러자 사신이 떠났다.

한 달 정도 지나 장안의 길 위에서 상대부(上大夫) 진등(陳登)이 가죽들과 함께 멀리 형주로 왔는데, 그는 관공과 서로 아는 사이라 성 안으로 들어왔다. 관공이 묻자 대부가 말했다.

"조조는 인의가 없어, 장안에 동작궁(銅雀宮)을 세우고, 천하의 아름다운 부인들을 뽑아, 매일 즐기고 있습니다. 또한 채염화(蔡琰和, 채염)가 다시 돌아왔다는 소식을 듣지 못했는데, 조공이 또 그녀를 궁전 안으로 부른 것입니다."

진등이 말했다.

"제게 딸이 하나 있는데, 절대 역적 조조 놈과 같이 있게 하지 않겠습니다."

관공이 말했다.

"대부께서 하시는 말씀이 맞소."

한 달이 지나지 않아 조조가 사신을 보내 진등을 데려가려 하자 관공이 응하지 않았다. 이에 조조는 한 원수 방덕(龐德)과 그를 보좌하는 우금(于禁)에게 17만의 군대를 이끌게 했는데, 이를 칠군(七軍)이라 명하고 한 부대마다 2만 5천을 통솔하게 했다.

관공이 방덕을 베어 말 아래로 떨어뜨리자 위나라 군사들이 대패했다. 며칠 뒤, 관공은 우금의 진영이 작은 강 아래에 있는 것을 알았는데, 비가 내리자 관공은 작은 관의 물을 열었다. 물로 인해 강변의 둑이 없어지자, 우금의 군사들은 모두 물에 빠져 죽었다. 두 번에 걸쳐 위나라군을 물리쳐 돌아간 이들은 1만이 되지 않았다. 우금은 장안으로 돌아와 조조에게 이를 말했다.

조조는 네 장수를 원수로 임명했는데, 재상(宰相) 가익(賈翊), 둘째는 장료(張遼), 셋째는 하후돈(夏侯敦), 넷째는 태위(太尉) 이전(李典)이었다. 또한 여러 명장들과 함께 10

만 대군을 일으켜 형주로 쳐들어갔다. 장료가 계책을 올렸다.

"오강(江吳, 오나라)과 연합해 양쪽으로 협공하면 형주를 무너뜨릴 수 있을 겁니다."

장료는 강을 건너 오나라 왕과 만나 훌륭한 말로 설득하자 손권이 말했다.

"오나라 땅에는 명장 여몽이 100명의 장수들과 천만의 군대를 이끌고 형주로 가겠네."

동남쪽에서는 오나라 땅의 여몽, 서북쪽에서는 위나라 군의 가익이 있게 되어 관공이 이를 알게 되자, 관평(關平)이 말했다.

"아버님께서는 나이가 많으시니 글을 써서 익주 성도부의 한중왕과 군사에게 보내시면 적군은 꼼짝 못하고 일이 저절로 풀릴 것입니다."

관공이 말했다.

"형님께서 관리들을 이끌고 서천을 차지했을 때 나 같은 사람들은 공이 없었다. 오늘, 형주에 적군이 형주 경계를 침범했다고 구원을 요청하는 건 대장부가 할 일이 아니다."

며칠이 지나 관공은 성을 나와 동남쪽으로 가 여몽, 장료에게 맞선 뒤에 서북쪽을 공격해 위나라 군대와 맞서려 했는데, 여몽이 뒤를 습격했다. 반 달 정도 지났지만 적군은 흩어지지 않고 관공은 상처(金瘡)가 나자 관평이 말했다.

"형주의 왕(荊王, 관우)께서는 사람을 서천으로 구원을 청하십시오."

그리고는 가맹관에 갔지만, 유봉, 맹달에게 그 글이 없어져 버렸는데, 한 달 정도가 지나도 세 번이나 구원을 청했지만 유봉에게 거듭 저지되었다.

관공의 상처가 점점 낫자, 다음날 출전 준비를 했다. 그

날 밤 3경(三更, 11시~1시)에 바람이 거세게 불고 천둥 같은 수리가 나고 성의 사람들이 말했다.

"무너지고 말겠구나."

관공이 출전했지만 양국의 협공을 받아, 관공은 형주 동남쪽의 산속에 고립되었다. 며칠 뒤 큰 비가 내리고, 오나라, 위니라, 양국의 관리들이 형주로 와서 말했다.

"성인은 하늘로 돌아갔다.(聖歸天)"

그리고는 형주를 교묘하게 말로 나누었다. 장료는 장안에서 조공을 만나 이를 이야기하자 조공이 한없이 크게 기뻐했다. 형주에서 패한 군사들은 서천으로 들어가 군사에게 이야기하자, 군사는 크게 놀라 황제에게 아뢸지 것을 고민하다 알리지 않았다.

이후, 조승상이 황제에게 아뢰었다.

"폐하께서는 오래 만수무강하소서(聖壽)!"

황제가 말했다.

“내게는 후사(後嗣)가 없는데, 누구를 황제로 세워야겠는가?”

조조가 말했다.

“폐하께서는 요순(堯舜), 우왕탕왕(禹湯)에 대해 듣지 모하셨습니까? 덕이 있는 자를 세워야 합니다.”

황제가 말했다.

“누가 덕이 있는 자요?”

조승상이 말했다.

“신의 아들 조비는 천하 사람들이 모두 천자로 세울 만하다고 칭송합니다.”

반년이 되지 않아 장안 서남쪽 50리 되는 곳에 봉황촌(鳳凰村)이라는 한 마을이 있었는데, 이 곳에 제단을 하나 쌓고 수선대(受禪台)라 이름 지었다.

이에 대한 노래가 있다.

“학, 오리, 제비, 쥐, 여우, 삵이 울부짖고, 귀신은 병든 자를 죽이고 쑥(蓬蒿)을 불사르는구나. 이 제단은 이름이 좋지 않고, 흙은 높이 쌓았지만 덕은 높지 않구나. 노란 먼지가 몇 장(丈)이나 쌓여 불꽃 깃발이 가리고, 말이 놀라 그 불꽃을 꺼지게 하는구나.

과부(寡婦)를 속이고 업신여겨 옥새(玉璽)를 빼앗아, 외로운 영혼을 핍박하고 협박해 고향을 떠나게 되는구나. 남자 아이라면 담대하게(膽大) 천하를 도모해야겠지만, 이찌 아이들의 장난을 두 번 말하겠는가. 검을 쥐지 않고도 분명히 말하라. ‘나는 응당 군주가 되고 너는 응당 죽어야 한다.’

노란 흙 언덕에서 궁궐은 스스로 어리석고, 공허함이 우뚝 솟아있고(巍巍), 가장 공허한 것은 그 안에 있구나. 당우(唐虞)에 있었던 사양하는(揖讓) 풍습은 무너지고, 노란 언덕의 가파른 곳에서 근심으로 평하는구나. 고릉(高陵)

의 묘지의 흙은 덮이고, 진공(晉公)에 와서야 당우(唐虞)의 예를 지키려 하는구나.

한 무더기 노란 흙은 구름과 맞닿아, 천하에 훌륭한 영웅이 나지 않는구나. 사람들은 제단에서 선양하는 것을 아름답다 하지만, 아름다운 게 아니라 한나라를 찬탈하려는 음모인 것이다. 선과 악(善惡)은 마지막에 가서 보답 받게 되는데, 악한 것은 결국 악한 것으로 돌아오게 된다. 조씨 가문은 천년의 대업을 계승하려 했지만, 사마(司馬) 집안이 황제의 대업을 이어받게 되는구나."

이러한 시도 있다.

"집안이 기울어 동궁(東宮)에서 한나라의 후손이 끊기고, 제단에서 위나라 조정에 선양해 도적 군주(仇君)를 세우는구나. 이들은 다섯 황제(五帝)를 음사(陰司)를 갚게되고, 사마씨가 왕을 도모하니 죽이는 게 가볍지 않구나."

한편, 조비는 제단에서 선양받아, 관리들로부터 새 군주에 대해 경하를 받고, 연호(年號)를 황초(黃初) 원년으로 고치고 즉시 제위에 올랐다. 위문제(魏文帝, 조비)가 세워지자 한나라 헌제를 산양군의 공(山陽郡公)으로 봉했는데, 지금 회주(懷州) 수무현(修武縣) 서북쪽에 그 흔적이 있다.

한편, 강오의 손권은 대황제로 제위에 오르고 (연호를) 황룡(黃龍) 원년으로 고쳤다. 서천의 군사는 이를 듣고 한중왕에게 알리자, 선주가 말했다.

"한나라 황실이 쇠약해져, 조조가 천하를 빼앗고, 손권은 스스로 패왕(霸)이 되는구나."

군사는 현덕과는 다르게, 그를 촉천(蜀川)의 황제로 세우고 (연호를) 건무(建武)원년으로 고쳤다.[18] 그리고 며칠간 연회를 열자 새로운 군에게 기쁨의 인사를 올렸다. 황제는 도원결의(桃園結義)를 생각했다.

'내가 아끼는 관공과 내가 서천을 얻으면서부터 몇 년간 이별해 서로 얼굴도 보지 못했구나.'

그리고는 멀리 형주로 사람을 보내 형왕(荊王, 관우)을 불렀는데, 군사는 감히 이를 숨기지 못하고 황제에게 이를 천천히 설명했다. 황제는 이를 듣고 갑자기 땅에 쓰러져 여러 번 기절했다. 선주는 관공과 있었던 좋은 일들을 생각했

---

18) 유비가 촉한을 세울 때의 연호는 장무(章武)이다. 이후 유비가 사망하고 유선이 즉위했을 때의 연호는 건흥(建興)이다. 작자는 장무와 건흥에 대한 연호에 대해 착각해 건무라 연호를 기록한 것으로 보인다.

다. 한 달 정도 지나 군사와 상의했는데, 제갈이 아뢰었다.

"올 해에 오나라를 정벌하시려 하는데, 올 해에는 좋은 달이 없어 폐하께서는 그만둬 주십시오."

황제가 말했다.

"나는 형제 3명이서 도원결의를 맺었는데, 같은 날 죽어 황천 아래로 가기로 했는데(泉下), 어찌 안 된다 하시오!"

그리고는 군사의 간언을 듣지 않고, 서천에서 40만의 군사를 일으켜 만의 왕(蠻王) 맹획(孟獲)에게 10만의 군사를 빌렸다. 건무 원년, 장비를 원수로 임명해 오나라를 치게 하고, 무후와 태자는 나라 안에 있게 했다. 마초에게는 동쪽의 검관을 지키게 하고, 노장 황충, 조운은 정군산을 지키게 했다. 군사가 선주에게 간언했지만 끝내 따르지 않고, 황제는 날을 정해 50만의 군사를 이끌고 오나라로 쳐들어 갔다.

한 달 정도 지나 황제가 백제성(白帝城)에 도착해 다섯 곳에 진영을 세웠다. 며칠 뒤에 정탐한 사람이 와서 보고했다.

"동쪽에 오나라 군의 원수 여몽이 100명의 장수와 함께 10만의 군대로 강을 건넜는데, 백제성에서 60리 되는 곳에 진을 쳤습니다."

황제가 말했다.

"이틀이 되기 전에 강오(江吳)의 역적들을 베어 관공의 원수를 갚겠다."

장막 아래의 한 사람이 외쳤다.

"소신이 군사 5만을 이끌고 적장을 베겠습니다!"

황제가 이를 보니 아끼는 동생 장비였는데, 장비가 술에 취해있자 현덕이 말했다.

"내 동생도 이제 늙었구나."

다음날 군대를 내보내 장비에게 징ㄴ영을 세우라 했다. 세 차례에 걸쳐 장비에게 출전하지 말라고 황제의 뜻(聖旨)을 전하자, 장비가 말했다.

"황제께서는 도원결의를 생각하면 황천길로 가는 게 두렵습니까."

그리고 검을 뽑아 자결하려 하자 황제가 급히 잡아 말리게 했다. 장비가 선주에게 군사의 예를 하지 않고 관리들과 함께 진영으로 들어가서는, 하늘을 향해 크게 통곡했다.

"선주는 나와 함께 관공의 복수를 하려 하지 않는구나!"

말이 끝나기도 전에 천둥 같은 소리가 울리고 큰 바람이 불어 장비의 수(帥)자 깃발의 장대가 꺾였다. 장비는 그 깃발을 들고 있던 사람인 왕강(王強)에게 곤장 50대를 쳤다. 왕강은 그날 밤 원래 있던 곳으로 돌아갔다.

한편, 장비는 식사를 하며 고기 맛이 좋지 않다며, 술에 취해 부엌에서 일하는 사람(庖官)을 앞에 부르자 장산(張山)과 한빈(韓斌)이 왔다. 장비는 몇 번이나 꾸짖고 그들을 각각 30대씩 때리게 했다. 그날 밤, 왕강, 장산, 한빈 등 세 사람은 술을 먹고 크게 취해 이야기했다.

"장비가 오늘 술에 취해 조금 잘 못한 걸 크게 여겼는데, 이래도 되는 것인가!"

세 사람은 함께 장막 안으로 가 장비를 죽이고는, 머리를 잘라 오나라로 가 투항했다.

다음날, 황제가 이를 알고 몇 차례나 쓰러졌다. 선주는 병으로 며칠간 누워 있었는데, 여몽이 선주에게 편지를 보냈다. 3일이 되지 않아 선주는 군대를 이끌고 여몽과 대치했다. 여몽이 거짓으로 패해 달아나자 선주가 뒤를 쫓아 작은 강을 건너자 여몽이 다시 돌아와 싸웠다. 선주가 크게 패해 군사들이 죽고 서쪽의 강어귀로 가자, 오나라의 원수 육손(陸遜)이 이들을 막고 공격하자 선주가 또다시 패하고, 오나라 군사들이 뒤를 쫓았다. 황제는 강을 건너 40리를 가 작은 진영을 하나 세우고 밥을 짓게 했는데, 강변에서 불길이 치솟았다. 뒤에는 여몽이 공격하고 서쪽에도 불이 났으며 앞뒤로 복병이 가로막아 선주는 3일 밤낮을 달려 백제성(白帝城)에 도착했는데, 그 군사는 3만이 되지 않았다.

선주는 백제성 보녀궁(寶女宮)에서 병을 다스렸는데, 차

와 밥(茶飯)을 입에 대지 못하고 코피가 나, 급히 서천으로 사람을 보내 태자 유선과 군사, 노장(老將)[19], 조운을 불러 들였다. 한 달이 되기 전에 태자, 군사가 도착해 왕제와 만났는데, 태자에게 무후의 손을 잡으라 하고는 눈물을 흘리며 무후에게 말했다.

"임금과 신하가 지금까지 만나지 못했구려!"

며칠이 지나 선주의 병세가 심해지자 무후에게 말했다.

"오늘날의 천하는 경이 아니면 얻을 수 없네!"

그리고는 태자를 불러 무후에게 절하게 했는데, 무후가 일어나려 하자 황제가 몸을 잡자, 무후가 말했다.

"이 늙은 신하가 죽을 죄를 지었습니다."

선주가 말했다.

---

19) 노장(老將)이라고만 기록되어 있어, 구체적으로 어떤 인물인지 알 수 없다. 황충 또는 왕평으로 추정된다.

“군사께서는 주공단(周公旦)이 성왕(成王)을 보필한 이야기를 듣지 못했소?”

황제가 다시 말했다.

“아두(阿斗)는 나이가 어려 군주의 짐을 감당할 수 없네. 군주로 세울 수 있다면 그리 하도록 하고, 세울 수 없다면 군사가 직접 이 자리를 맡도록 하시게.”

무후가 말했다.

“신 제갈량이 무슨 덕이 있습니까. 지금 폐하로부터 고아를 맡아 온 몸을 바쳐 은혜를 갚겠습니다!”

태자가 무릎을 꿇고 절하자 황제가 말했다.

“태자는 공적인 일이 있다면 군사와 그 뜻을 의논하도록 하라.”

말을 마치자 황제는 세상을 떠났는데(崩), 64세였다. 건

무 2년, 유선이 황제로 세워지고 건흥(建興)원년으로 고쳤다.

한편, 황제의 별(帝星)을 누르고 별도로 1만의 군사와 백성들을 백제성 동쪽 20리 되는 곳에 진을 치게 했다. 그 곳에 여덟 개의 돌무더기(堆石)를 쌓고, 돌무더기 하나 마다 8×8, 64개(八八六十四)의 깃발을 꽂았다. 이에 어떤 이가 여몽에게 보고하자, 여몽은 군사를 이끌고 그 곳으로 갔는데, 원수 육손이 크게 놀라자 관리들이 물었는데, 여몽이 말했다.

"나무로 만든 진영은 불이고, 풀로 만든 진영은 물, 돌로 만든 진영은 혼란을 일으킨다. 관리들은 각각의 돌무더기 64개 마다 깃발이 꽂힌 것을 보지 못했는가? 이는 주공(周公)의 팔괘(八卦)로, 제갈은 하늘의 법도를 다스릴 줄 아는데, 800만개의 별자리가 모두 이 돌무더기 위에 있는 것이다."

여몽이 또 말했다.

“태공망(太公), 손무자(孫武子), 관중(管仲), 장량(張良)이 아니라면 이를 다룰 수 없다.”

말을 마치기 전에 후방의 군대에서 보고했다.

“제갈이 위연에게 작은 돌길을 통해 원수의 본진을 점령했다 합니다.”

여몽은 군사를 돌렸지만, 군사가 군을 이끌고 뒤쫓았다. 양쪽에는 마초, 관평이 협공했고, 무후가 전투를 벌이자 여몽을 강을 건너갔다.

이후, 군사는 네 필의 말이 끄는 마차(孝車) 한 대를 가지고 태자와 관리들을 데리고 서천의 성도부로 돌아왔다. 그리고 제와의 복장을 입고 한 달간 장례를 치렀다.

유선이 즉위한 지 반 년이 지나 만의 왕(蠻王) 맹획(孟獲)이 만(蠻)의 장수들을 통해 앞선 군주(先君, 유비)가 빌려준 10만의 군사들을 받으려 했다.

"너희들이 내게 빌려간 것은 무엇을 얻기 것이었는가."

군사는 이들에게 반 달 동안 차와 음식을 주고, 금과 진주를 주어 돌려보냈다. 어린 군주(少主)가 군사에게 물었다.

"남만의 장수들이 다시 올까 두려운데, 어찌 해야 좋겠습니까?"

군사가 말했다.

"간단한 일입니다."

건흥 2년(建興, 224) 4월, 취풍루(醉風樓)에서 장치를 열어 군사와 나라 일에 대해 의논했다. 1년이 되지 않아 맹획이 10만의 군사를 일으켜 반드시 서천을 도모하려 하자 군사가 말했다.

"소신이 반드시 만(蠻)들을 징벌하겠습니다."

황제가 크게 놀라 물었다.

"어떻게 해야 좋소?"

군사는 황제에게 남쪽을 향하면 좋다 하면, 붉은 기운이 사자궁(獅子宮) 위로 솟는 것을 보여주었다. 황제가 이 것이 길한 지 흉한 지 묻자 제갈이 아뢰었다.

"예전에 선군(先君, 유비)께서 서천을 얻으실 때 전전(殿前) 태위(太尉) 옹개(雍闓)가 있었는데, 불만을 가지고 있었습니다. 이후 선군께서 서천을 차지하면서 서천의 백성들을 베게 되어 원망이 있는 것이니, 지금 운남군(雲南郡) 태수의 작위가 화근이 된 것입니다."

3일 뒤에 이적(伊籍)이 아뢰었다.

"강동의 세 진(鎭)에서 반란을 일으켰는데, 운남군 태수 옹개가 불위성(不危城) 태수 여개(呂凱)와 결탁했고, 또 운남관(雲南關) 태수 두기(杜旗)도 결탁했습니다. 이 세 진이 아홉 개천과 18개의 마을의 만의 왕 맹획(蠻王孟獲)과 결탁해 모두 반란을 일으켰습니다."

황제가 매우 놀라자 군사가 계책을 내었다. 무후가 아뢰었다.

"반란을 일으킨 세 진(鎭)은 모두 맹획의 장수로, 선제(先帝, 유비)께 10만의 군사를 빌려 이 때문에 반란을 일으킨 것입니다. 지금 노신이 5만의 군사들을 이끌고 가서 만(蠻)을 진압하겠습니다."

황제가 아뢴 대로 하라 했다.

무후는 반 달이 되기 전에 만의 군사, 100명의 명장들을 이끌고, 한달 여 후에 운남군에 도착해 10리 되는 곳에 진영을 세웠다. 3일 뒤에 옹개가 출전했다 위연에게 베여 말에서 떨어졌고, 군사는 백성들을 위안했다. 며칠 뒤 불위성으로 갔는데, 태수 여개는 군사들이 군사를 다섯으로 나누어 백성들을 해친다는 걸 듣고, 3만의 군대로 출전했다. 관색(關索)이 패하는 척 하자 여개가 추격해 성에서 30리 되는 곳으로 나왔는데, 어떤 이가 여개에게 알렸다.

"제갈이 계책을 써서 불위성을 빼앗고 가족들을 잡았습니다."

여개는 급히 회군해 다음날 무후와 대치했다. 무후가 도검(刀劍)으로 여개의 가족들을 협박하자 여개가 말했다.

"소인은 죽어도 되지만 어머니의 목숨은 살려주십시오."

여개는 큰 효자였기에, 말에서 내려 활과 화살을 앞으로 끄집어내 놓고 군사에게 말했다.

"소인을 죽이고 어머님은 용서해 주십시오."

군사는 여개가 큰 효자라는 걸 보고 가족들을 사면해 주었다. 며칠 뒤, 운문관(雲門關)에 도착했는데, 반란을 일으킨 장수 두기(杜旗)가 싸우러 나오자 노장 왕평(王平)이 3천의 군사들로 싸웠지만 운문관에서 패해 며칠간 함락시키지 못하자 군사가 왕평을 베어버렸다. 여개는 시신을 안고 슬피 울었다.

"정말 안타깝습니다. 태수는 제 고향 사람이었습니다! 오늘 이처럼 군사께서 그를 처형하시다니요."

군사는 여개를 꾸짖었다.

"너와 왕평은 모두 서천의 관리인데, 오늘 지은 죄는 네 죄가 아니다."

관리들이 모두 청해 여개를 놓아주었는데, 그날 밤 여개는 3~5명과 함께 말을 타고 남쪽으로 운문관으로 갔는데, 두기가 성을 열어 그들을 들이고는 무후를 크게 욕했다. 다음날, 군사가 도착하자 두기가 관 아래에서 대치하며 욕했다.

"제갈, 이 무도한 놈. 네가 우리 주공 유장(劉璋)을 죽였는데, 내가 이 서천에서 어찌 반란을 일으키지 않겠느냐!"

무후는 두기, 여개에게 계책을 써 삼문관(三門關)을 빼앗고, 관에 올라 군사들에게 상을 주고 백성들을 안정시켰다.

며칠이 지나 군사들을 이끌고 남쪽으로 가 만(蠻)의 경계 노수강(瀘水江)에 도착했다. 그 강은 뜨거운 개천이라 지나갈 수 없었는데, 무후가 거문고를 연주하자 강이 차가워졌다. 군사(軍師, 제갈량)가 군사들에게 강을 건너도록 명했다.

"만(蠻) 지역에는 햇빛으로 인해 축축한 연기(煙瘴)가 생기고, 노수(瀘水) 지네와 뱀이 이 기어 다니고, 만 땅은 독한 곳(毒物)이라는 걸 들어보지 못했느냐?"

강을 건너 100리가 되지 않는 곳에 진을 쳤는데, 어떤 이가 보고했다.

"맹획(孟獲)이 싸움을 준비하고 있습니다."

다음날 대치하게 되었는데, 군사가 위연을 출진시키자, 만의 장수가 대패하고 맹획을 사로잡았다. 다음날 무후와 만나자 맹획이 말했다.

"앞선 황제 유비가 10만의 군사를 빌렸으니, 내가 반란을 일으키는 게 당연하지 않소!"

"10만의 근과 진주를 가져오면 내가 네 목숨만은 살려주겠다."

맹획이 금과 진주를 가져오자, 맹획을 풀어주었다. 며칠 뒤에 맹획은 멀리 곡랑묘(哭娘廟)로 가서 향을 피우려 했지만, 사방에서 복병이 나타나 다시 맹획을 사로잡았지만, 항복하지 않고 10만의 금과 진주를 주어 풀려났다. 군사가 말했다.

"며칠 안되어 내가 너를 또 잡을 것이다."

만의 왕(蠻王, 맹획)이 믿지 않자, 제갈은 술과 음식들을 맹획에게 많이 대접하고 보내주었다. 본진에 돌아와 만의 왕이 말했다.

"제갈은 강했지만 나를 몇 번이나 풀어주었는데, 무엇 때문일까?"

다음날, 만의 왕은 병이들어 일어날 수 없고 3일간 고통르스러워 했다. 어느날 군사가 관평에게 시켜 만의 왕에게 물었다.

"항복하지도 않고 싸우지도 않는데, 왜 그러는가?"

만의 왕이 말했다.

"병 때문에 아파 그렇소."

관평이 말했다.

"그대는 우리 군사께서 의술에 능통하다는 걸 아시오?"

만의 왕은 관평과 함께 군사를 만났는데, 군사가 약주(藥酒)를 써서 치료하자, 얼마 후 병이 사라지고, 만의 왕은 예전처럼 회복하게 되었다.

군사가 말했다.

"이제 항복하거라. 오늘 너희 진영으로 가서 너를 잡겠다."

만의 왕이 항복하지 않자, 군사가 말했다.

"서를 쇠사슬로 묶어 서천으로 보내고, 만의 왕 너를 참수하겠다."

만의 왕은 죽음이 두려워 금과 진주를 주고 풀려났는데, 관리들이 군사에게 말했다.

"만의 왕이란 자는 오랑캐 족속들(夷狄人)인데, 왜 세 번, 다섯 번 풀어주시는 겁니까?"

군사가 웃으며 말했다.

“내가 저놈들을 보니 하찮은 지푸라기같다 생각하는데, 이 곳은 서천의 나라보다 더 궁핍하기 때문이다.”

며칠이 지나지 않아 만의 왕의 군대와 대치하자 무후가 말했다.

“이번에도 너를 잡으면 그 때는 항복하겠느냐?”

양군이 대치하고 만의 장수들은 높은 곳으로 가 독약을 아래로 던져 죽이려 했다. 무후는 급히 말에서 내려 머리를 풀어헤치고 맨발로 검을 잡고 바람에 제사지냈다. 만의 왕은 남쪽에 있었고, 한나라 군사들(漢軍)은 북쪽에 있었는데, 군사가 북풍을 일으키자 만의 군사들 중 (독약 때문에) 쓰러진 이들이 셀 수도 없었다. 군사는 만의 왕을 자아 금과 진주를 받고 풀어주었는데, 군사가 말했다.

“우리가 한 번만 더 싸워 말 위에서 너를 끌어내리면 그 때는 항복하겠느냐?”

만의 왕은 여전히 믿지 않았다.

며칠이 지나지 않아 군사와 만의 군사들이 대치했는데, 군사가 나와서 세 번 외치자 남쪽 진영에서 만의 왕이 말에서 내렸다. 군사가 진영으로 왔지만 만의 왕이 여전히 항복ㅎ지 않자 금과 진주를 받고 풀어주었다. 만의 왕은 진영으로 돌아와 관리들과 의논했는데, 호랑이와 표범을 몰아 싸우자 했다. 한 달 정도 지나 다시 싸움을 걸어오자 군사가 그 뜻을 알아차렸다. 5일이 되기 전에 대치중에 만의 왕이 호랑이와 표범을 내보내자, 제갈량이 크게 소리치자 천 명이 기절해 쓰러졌다.

그는 한 손에는 패(牌)를 쥐고, 한 손에는 검(劍)을 쥐고 있었는데, 이후에 이를 만패(蠻牌)라 불렀다. 이에 모든 호랑이들이 놀라 멀리 도망쳤다. 군사의 등 뒤에서 징 소리가 들리자 다시 만의 왕을 사로잡았는데, 또 다시 50만관(貫)의 금과 진주를 얻고는 진영으로 돌려보내주었다. 만의 장수들이 의논했다.

"내가 다시 제갈에게 사로잡히면 다시 풀어주겠는가? 차라리 내가 제갈과 다시 만나지 않는 게 좋겠다."

그날 밤 만의 왕은 초홍강(焦紅江)을 건너 남쪽 강변으로 15리에 있는 포관(蒲關)으로 갔다.

그 다음을 이야기하자면, 군사가 생각했다.

'만의 적들을 항복시키지 않으면 이후에 우환이 되겠구나.'

군사는 군사들을 이끌고 초홍강을 건너려 했지만, 열기 때문에 건널 수 없어 모두 물러났다. 이에 머리를 싸매고 일곱 번이나 고민하게 되었다. 군사는 또 며칠간 행군하려 했지만 열기 때문에 행군이 어려웠다. 무후는 초홍강변에 진을 쳤는데, 그 강 폭(闊)은 3리이고, 깊이는 100척이었는

데, 매실을 생각해 갈증을 해소하도록, 거문고를 탔다.

건흥 2년(建興, 224) 6월 중순에 큰 눈이 내리자 군사들은 초홍강으로 갔는데, 강이 깊고 넓어 건널 방법이 없었다. 군사(軍師, 제갈량)가 풍차(風輪)를 만들게 해 바람을 타고가 강을 건너 정확히 포관(蒲關) 앞에 떨어지자 만의 왕이 말했다.

“제갈은 사람이 아니고 하늘의 신선(天神)이구나!”

이에 군사(軍師, 제갈량)가 포관 안으로 들어가자 며칠간 대접하고, 금과 진주 열 수레를 바치고 화살을 꺾어 평생 한나라에 반란을 일으키지 않겠다고 맹세했다. 군사가 말했다.

“네 목숨을 살려주고 글을 써 두도록 하거라. 5년이 되지 않아 멀리 기산(祁山)으로 갈 텐데, 너는 응당 그곳에서 나를 돕도록 하라.”

이는 군사가 여섯 번 기산으로 출정하는(六出祁山) 것을 말한 것이다.

한편, 군사(軍師)는 군대를 돌려 서천으로 들어가 익주 성도부에 도착해 군사들을 포상하고 백성들을 안심시켰다.

이후, 건흥 25년(建興, 247) 2월 중순에 검관(劍關) 태수가 천자에게 표를 올렸다.

"위문제(魏文帝, 조비)가 즉위 이후에 위명제(魏明帝, 조예) 청룡 4년(青龍, 236)에 맹달(孟達)을 원수로 임명해 군사 5만을 이끌고 검관에서 40리 떨어진 곳에 진을 치고 서천을 넘볼 뜻을 보입니다."

어린 군주(少主, 유선)가 말했다.

"군사는 군사 5만과 100명의 명장들을 이끌고 동쪽으로 나가 검관 10리 되는 곳에 진을 치도록 하시오."

제갈은 자신의 마음을 아는 사람(知心人)을 보내 맹달에게 편지를 전달했는데, 그 편지를 펼쳐보니 이랬다.

"대부(大夫)는 서천 사람으로 이전에 형주(荊州)에서 운장(雲長, 관우)이 죽게 된 건은 대부의 잘못이 아니라 (유비의) 자식(後子) 유봉 때문인데, 그를 처형에 일은 끝났소. 대부의 고향에 있는 무덤들은 전부 서천 안에 있는데, 그대는 월나라 새는 남쪽에서 둥지를 틀고(越鳥巢南), 오랑캐 말은 북쪽에서 운다(胡馬嘶北)는 걸 들어 보지 못했소? 대부가 서천으로 다시 돌아온다면 어찌 다시 대우하지 않겠소? 내가 그대를 위해 폐하께 아뢰어 높은 경(上卿)의 위치에 오르도록 하겠소."

맹달이 웃으며 말했다.

"군사의 말씀이 옳구려."

이에 제갈에게 회신했다. 며칠 뒤 맹달은 그를 보좌하는 관리(佐貳官) 장승(張升)을 보내 황제에게 표를 올렸다.

위나라 황제는 사마중달(司馬仲達)을 원수에 임명해 10만 명을 이끌고 서남쪽의 검관으로 가게 했다. 맹달은 이를 알고 제갈에게 편지를 썼지만, 제갈은 오지 않고 사마의(司馬懿)가 가까이 왔다. 맹달이 다시 제갈에게 편지를 썼지만 또 오지 않았다. 맹달은 그 뜻을 깨닫고 이것이 제갈의 계책임을 알고 스스로 목을 매어 죽었다.

사마(司馬)의 군사들이 도착해 군사와 반 달간 대치했다.

어느날 사신이 와서 말했다.

“명제(明帝, 조예)께서 돌아가시고 동생 조방(曹芳)을 황제로 세웠으며 (연호를) 정시(正始)원년으로 고쳤습니다.”

사마의는 군사를 돌려 돌아갔다.

이후 이야기를 하자면, 제갈은 대략 한 달간 군사들을 주둔시킨 뒤에 군사들을 이끌고 검관에서 10리 떨어진 곳 까지 갔다. 그는 관서(關西)를 차지하고 동쪽(祁山)의 기산으로 가는 걸 첫 번째 목표로 삼았다. 군사가 말했다.

“이 앞은 진천(秦川)의 경계로 앞에 보이는 성은 100리 안에 풀과 나무가 보이지 않는다. 우리 삼군(三軍)은 아진 진격하지 않았는데, 군량과 마초(糧草)를 먼저 보내야 한다. 군사들이 잔도(棧道, 벼랑에 만든 길)를 건너 관서를 얻으려면 군사들이 군량과 마초를 얻어야 하는데, 풀과 나무가 없는데, 어떻게 진천을 얻을 수 있겠는가?”

그리고 길가를 보니 왜의 왕(矮王)이 지은 성이 하나 있었는데, 군사는 이게 진천에 있다는 걸 알고는 사람을 시켜 근처에 있던 농가에 물었다.

“진천을 지키는 관의 군사 관리의 성은 심(甚), 이름은 수(誰)입니다.”

그리고 또 말했다.

“성은 강(姜), 이름은 유(維), 자는 백약(伯約)으로 원래

진천의 병졸(兵官)이었는데, 나중에 관리와 백성들이 진(秦)의 태수로 올려주었습니다."

군사가 말했다.

"유능한 사람이구나, 아들로 가르칠 만 하겠구나."

군사는 다시 검관으로 갔다.

(제갈량은) 여러 곳에서 목수(木匠)를 구해 목우유마(木牛流馬)를 완성했는데, 대략 300여 대였다. 군사는 관으로 들어가 두 번째로 기산으로 출전해 진천에서 40리 되는 곳에 진을 쳤다.

며칠 뒤, 관평이 3천의 군사들을 이끌고 진천을 정찰했는데, 큰 숲 앞에서 말에서 내렸는데, 관평이 생각했다.

'군사가 유능한 사라미라 한 사람이 여기 있다 했지.'

관평은 군사들에게 밥을 지으라 했는데, 강유의 군대가 나타나 관평과 한 번 교전하고는, 강유는 군을 돌려 성으로

돌아갔다.

며칠 지나 목우유마가 식량을 운반하는 것을 본 강유가 말했다.

"태공망(太公)과 관중(管仲)도 이 같은 능력은 없을 것이다!"

그리고 다시 보니 제갈이 목우유마로 성 근처를 지나가는 걸 보고는 강유는 장충(張忠)에게 목우유마를 빼앗으라 시켰다. 강유가 성을 나오자 위연이 막아섰는데, 군사가 계책을 써 강유를 사로잡아 진천을 차지하게 되었다. 군사는 강유와 만나 그의 비범한 모습을 알아보고, 설득해 군사들을 항복시켰다. 강유는 무후를 아버지로 여기게 되었다.

며칠이 지나 군사는 군사들을 이끌고 북쪽의 가정관(街亭關)에 도착했는데, 서천의 군대는 이를 공격할 날짜를 정했다. 구사를 3개월 간 주둔시켰지만 관을 취할 계책이 없었다.

어느 날, 상대부 이적(伊籍)이 사람을 보내 멀리 군사에게 편지를 전달했고, 또 대부의 집안의 편지 또한 도착했는데, 군사가 이를 보고 읽고 나서 급히 공격하도록 명령했다. 다음날 강유를 불러 말했다.

"나는 서천으로 돌아가야 하네, 급히 가지 않으면 서천을 잃을 수도 있어 걱정이네."

그리고는 귓속말로 강유에게 이야기했다. 군사는 길에 오르고 강유는 군사가 이야기한 계책을 따라, 다음날 군사 5만ㅇ 명을 이끌고 가정 서쪽에 진영을 세웠다.

이후, 가정을 지키던 관의 군관 노장 하후돈이 말했다.

"강유의 진영이 가정 서쪽 30리에 있는데, 그 곳에는 동서로 300보 너비의 계곡이 있고, 남북으로는 100리 길게 뻗어 있는데, 그곳은 진을 치기 위태로운 땅이다. 내가 두려워하는 이는 제갈이지, 내가 어찌 강유 같은 놈에게 욕보이겠는가!"

그날 밤 군사들을 이끌고 강유의 진영을 습격했는데, 진영에는 아무도 없고 사방에서 복병이 튀어나왔다. 위연과 관리들이 공격하자 하후돈은 곧바로 서쪽으로 달아났다. 이후 강유는 가정을 점령하고 나전 속에 하후돈은 도망쳤다.

한편, 군사는 성도부로 돌아오자 관리들이 맞이했다. 군사는 검을 들고 안으로 들어가 궁궐 위로 가 보니, 어린 주군(少主, 유선)과 환관(閹宦) 황호(黃皓)가 함께 앉아 즐기고 있었다. 군사는 천둥과 같이 큰 소리로 소리치고 크게 꾸짖었다.

"관노(官奴) 황호가 감히 이런 짓을!"

황호는 급히 일어났는데, 군사는 황호를 쇠사슬로 묶이고 이후에 작은 주군과 만났다. 작은 주군이 말 없이 응대하고 그저 말했다.

"군사가 온 줄은 몰랐소."

제갈은 황제에게 인사를 올리고 집으로 돌아갔다.

다음날, 문무 백관들과 조정에서 만났는데, 군사는 황제를 만나 하늘을 우러러보며 크게 통곡했하고는 생각했다.

'선제(先帝, 유비)께서는 의를 내세워 황건을 격파하고 말안장에서 떠나지 않고, 몸에서 갑옷을 벗지 않으면서 사셔서, 30여 년 지나 서천을 얻었는데, 환관 놈이 나라를 무너뜨리고 있구나.'

군사는 또 말했다.

"폐하께서는 한나라 영제(漢靈帝)가 십학사(十學士, 십상시)를 총애했는데, 이 때문에 고자 종놈(閹奴)이 천하를 무너뜨리게 된 것을 듣지 못하셨습니까? 이 늙은 신하가 군주를 속이는 게 아니라, 선제께서는 폐하를 신(臣)에게 맡기셨습니다. 신이 죽어 천하를 잃는다면 폐하의 과실이지만, 신이 살아있을 때 천하를 잃는 다면 이는 이 늙은 신하의 과실입니다. 또한 오월(吳越)의 시대에 20년 동안 갑옷을 입고 싸우는 것을 끝내지 않은 것은 전부 서시(西施)때문인 것을 생각하십시오. 폐하께서 고자 노비 놈(閹奴)을 총애하시면 만 대에 걸쳐 사관들(史官)에게 그 이름을 욕보일 것입니다!"

어린 군주는 아무 대답도 하지 않고 죽은 아버지의 영혼(先君神)에 대해 슬퍼했다. 문무백관들이 인사를 마치고, 황호는 저잣거리에서 만 번 칼에 썰리고, 그의 가족들도 고통스럽게 죽였다.

어린 군주가 군사에게 죄를 청하자 군사가 말했다.

"이 늙은 신하는 주공의 천하를 위해 한 일입니다."

황제는 며칠간 연회를 열고, 군사는 말에 올라 관을 나와 세 번째로 기산으로 출정했다.

"더위가 사라지고 추위가 찾아와 세 번이나 초가집을 찾아왔는데, 이처럼 훌륭한 현자는 거의 없구나. 닭에게 먹이를 주는 것 같고, 물고기가 물을 얻은 것 같가, 그 높은 뜻은 어떤 사람도 도달할 수 없구나. 당양(當陽)으로 홀로 남고, 오림(烏林)[20]에서 곤란에 처했지만,

적벽(赤壁)에서 조조를 크게 꺾었구나.

형초(荊楚, 형주)를 안정시키고 서천을 얻고, 정군산에서 하후연을 무찔렀구나. 하늘은 고아를 맡겨 제위에 오르게 하고, 다시 오나라와 화해해 일곱 번 맹획을 잡은 것은 정말로 훌륭하구나. 강유를 항복시켜 스승으로 따르게 하고, 목우유마라는 기계로 다스리는구나.

산융국(山戎國)을 정벌하고, 왕쌍(王雙)을 베고, 장합(張合), 사마(司馬)와 싸우는구나. 누가 알았겠는가. 가을 언덕 위에서 구름이 저물고 풀이 쓰러질 것을."

이후에 소동파(蘇東坡) 그의 묘지를 찬양하는 글을 지었다.

"귀신(神鬼)처럼 치밀하고, 바람과 구름 같아 진군하면 당할 자가 없고, 물러서면 쫓아 올 수 없고, 낮에는 공격할 수 없고, 밤에는 습격할 수 없고, 숫자가 많아도 대적할 수 없고, 숫

---

20) 조림(鳥林)이라 기록되어 있지만, 오림(烏林)의 오기로 보인다.

자가 적어도 속일 수 없고, 앞뒤로 모여 응하고, 좌우를 지휘하고, 오행(五行)의 성질을 바꾸고, 사계절의 변화를 명령하는구나. 사람인지, 신(神)인지, 신선(仙)인지 나는 모르겠구나. 이 사람이 바로 와룡이구나!”

한편, 군사는 며칠 뒤 가정에 도착해 관리들에게 물었다.

“강유, 위연이 위나라 군을 한차례 무찌리고 가정을 점령했습니다.”

군사가 매우 기뻐했다.

이후, 노장 하후돈은 장안에 와서 황제 조방(曹芳)을 만나 인사 드렸다. (조방은) 사마의를 원수로 임명해 20만의 군대를 이끌고 한 달간 가서 가정에서 50리 되는 곳에 진영을 세웠다. 사마의와 제갈은 서로 몰라 반 달간 대치했다. 관평이 싸움을 걸었지만 사마의에게 한 번 패하고, 여개가 싸움을 걸었지만 사마(司馬, 사마의)에게 여러 번 패하자 사마의가 말했다.

“내가 듣기로는 제갈의 명성이 천하에 들린다 하더니 지금은 늙어 명성을 잃었구나!”

어느날 제갈과 사마의가 대치해 제갈이 크게 패하고 위나라 군대가 이를 쫓아 가정에서 40리 되는 곳에 진을 치고 기산으로 들어갔다. 그러자 앞에는 위연이 길을 막아서고 뒤에는 제갈, 왼쪽에는 강유, 오른쪽에는 양의(楊儀)가 복병을 일으켰다. 제갈은 위나라군을 하루 밤낮으로 격퇴해 10만의 군대가 3천명도 남지 않게 되었고, 사마의는 전포를 갈아입고 탈출할 수 있었다. 사마의는 가정에서 80리 떨어진 곳에 진을 치고 감히 가정을 넘보지 못하게 되었다.

이야기를 두 부분으로 나누어 보자면, 한편, 익주 성도부에서는 황제가 앉아있을 때 상대부가 이야기했다.

"가정에서 제갈이 반란을 일으켰습니다!"

황제가 문무백관들에게 물었다.

"군사가 반란을 일으켰다는데, 어떻게 서천을 통치해야겠소?"

이적이 황제에게 대답했다.

"군사는 반란을 일으키지 않았습니다. 사신을 보내 불렀을 때 군사가 온다면 반란을 일으킨 게 아닙니다. 만약 오지 않는 다면 반란을 일으킨 것입니다."

황제가 제갈을 부르자 제갈이 조정으로 와서 황제를 만났는데, 황제가 이 일을 이야기하자 제갈이 말했다.

"이는 사마의의 계책입니다."

황제가 고개를 끄덕였다.

"경의 말이 맞소."

며칠간 연회를 열고 군사는 다시 기산으로 출정했는데, 이 것이 네 번째였다. 그리고 갈모관(隔茅關)으로 갔는데, 이 또한 가정(街亭)의 명칭으로, 관에서 50리 떨어진 곳에 갔는데, 관리들이 맞이했다. 또 40리를 더 가 진영을 세웠다. 제갈이 물었다.

“가정은 어찌 되었는가?”

그러자 보좌하던 관리(佐貳官) 양의(楊儀), 강유가 말했다.

“마속(馬謖)이 가정을 잃었습니다.”

제갈이 크게 놀랐다.

“그렇게 험준한 땅을 어떻게 잃었단 말인가?”

강유가 말했다.

“마속은 술에 취해 있었습니다. 사마의가 싸움을 걸자 마속이 출전하려 하자 위연이 말리자 여러 번 욕을 하고, 관

리들이 말리자 듣지 않았습니다. 마속은 또 '군사와 나는 같은 고향 사람이니, 내가 성을 잃어도 문제되지 않을 것이다.'라며 꾸짖었습니다. 위나라 군이 마속을 먼저 곤란하게 하자, 관리들이 싸우러 갔지만, 이미 가정을 잃은 뒤였습니다."

군사는 그를 불러 앞에 데려다 놓았는데, 마속은 아무런 말이나 대답이 없어 그를 끌어내 처형하라 했다. 관리들이 말렸지만 듣지 않고, 마속을 처형했다.

한편, 제갈은 여러 차례 가정을 빼앗으려 했지말 실패하고, 여성(婦人)의 옷을 준비해 사마의에게 말했다.

"네가 남자라면 성 아래로 내려와라!"

사마의는 갑옷을 입고 성을 나가지 않고, 반 년간 대치했다.

어느 날 정탐병이 보고했다.

"황제의 장인(皇丈)이 근처에 왔습니다."

사마의는 급히 관리들과 함께 성 안으로 들였는데, 그는 위나라 장수이자 화제의 장인인 장합(張合)이었다.

하루는 무후가 3천의 군사들을 이끌고 갔는데, 가벼운 활과 짧은 화살, 훌륭한 말과 능숙한 사람들과 함께였다. 군사는 휘장을 두른 수레에 타고 있었는데, 사람들을 시켜 사마의를 욕하게 하자 장합이 말했다.

"너는 위나라의 명장이면서 제갈이 너를 모욕하는데, 왜 관리들을 시켜 나가 싸우지 않느냐?"

사마(司馬, 사마의)가 말했다.

"제갈은 맞설만한 사람이 아닙니다."

장합은 술에 취해 군사 3만을 이끌고 성을 나가려는데 사마의가 말했다.

"태사(太師)께서는 나이가 많아 안 될 것입니다."

장합이 말했다.

"황제의 뜻(聖旨)에 따라 제갈과 싸워야 한다. 원수가 나가지 않으면 위나라의 위풍(威風)이 약해질 것이다."

관리들이 말렸지만 듣지 않고 나가서 무후와 싸웠는데, 무후가 대패했다. 장합이 몇 리를 쫓았는데, 적군이 흩어지는 걸 보고 장합은 군대의 앞에 섰는데, 제갈이 몸을 둘려 그를 보자, 장합은 군대의 앞에서 죽게 되었다. 사마(司馬, 사마의)는 무후와 서로 싸웠는데, 그 뒤에서는 양의가 계책으로 가정을 빼앗았다. 사마의는 서북쪽 60리 되는 곳에 진영을 세우고 가정을 호랑이 같이 노려보았다.

그렇게 대치한 지 며칠이 지나 군사에게 몰래 조서가 전달되었다. 무후는 이를 읽어보고는 강유에게 군대를 맡겼다. 군사는 말을 달려 성도부의 조정으로 덜어와 황제를 만나 말했다.

"강남의 손권이 죽고 손량(孫亮)이 오나라의 주군이 되고 (연호를) 건흥(建興)원년으로 고쳤습니다."

제갈이 황제에게 아뢰었다.

"상대부 이적에게 만 관의 금과 진주를 주어 강남에 조문 보내십시오.(吊喪)"

그리고 말했다.

"강오(江吳, 오나라)가 우환이 될까 두렵습니다."

며칠간 연회를 열고 황제에게 인사드리고 동쪽으로 나가 검관으로 갔는데, 이번에 기산으로 출정한 것이 다섯 번째이다. 군사는 가정에 도착했다.

한편, 사마의는 장막에서 앉아 군사문제를 관리들과 의논했는데, 원수(元帥, 사마의)가 말했다.

"옛날부터 지금까지 제갈이 원수가 된 이래로 그의 계책을 헤아릴 수는 없었네."

며칠 뒤 원수는 진영에서 3리가 되지 않게 떠나 한나라 장수 주창(周倉)이 목우유마로 식량을 운반하는 것을 보았다. 이에 보병을 지휘하는 장수(步陟將) 등문(鄧文)에게 군사 3천을 이끌고 가게 해 목우유마 10대를 빼앗았다.

원수는 목수에게 목우유마를 분해하도록 명해 길고 짧음, 높고 낮음에 대해 척과 촌(尺寸)을 측정해 그림을 그리게 하고, 이에 따라 수백여 대를 만들게 했다. 그리고 나무막대로 한 번 치자 몇 보 움직일 수 있었는데, 사마의가 말했다.

“제갈의 목우유마는 한 번 치면 길 위에서 식량을 운반할 때 300보를 갈 수 있다고 했는데, 진영 안에서 만들어 보니 그처럼 움직이지 않는데, 제갈이 가지고 있는 특별한 방법이 있는 게 아닐까?”

며칠 뒤 호위하는 장수(護將)가 300의 군사들을 데리고 진영 앞으로 왔는데, 주창이 술에 취해 원수에게 크게 말했다.

“군사께서 내게 적을 맞이해 싸우라는 서신을 주어 승부를 내러 왔다. 싸우지 않을 거라면 즉시 항복하라. 너는 위나라의 명장이라면서 어찌 문을 닫고는 나오지 않느냐?”

원수가 말했다.

“주창이 술에 취했구나!”

이에 주변 사람들에게 술을 가져와 주창을 취하게 하자 그는 크게 취했는데, 사마(司馬, 사마의)가 말했다.

“여기 금, 진주, 재화, 보물이 잔뜩 있네. 제갈의 목우유마는 한 번 치면 300여보를 갈 수 있는데, 내가 만든 목우유마는 한 번 치면 몇 보 밖에 갈 수 없네. 그 방법에 대해 네가 내게 알려준다면, 내 너에게 일억(萬萬)관의 금과 진주를 주어 가문이 부귀영화로 가득 차게 해 주겠네.”

주창이 웃으며 말했다.

"군사의 목우유마는, 그걸 끄는 사람들이 모두 목우유마경(木牛流馬經)을 읊소."

또 말했다.

"목우유마를 치는 사람들은 모두 내가 관리하오. 오늘밤 진영으로 들어가 목우유마경(牛流馬經)[21]을 베껴 원수에게 주겠소."

사마는 크게 기뻐하며 주창에게 30관의 금과 진주, 두 필의 좋은 말을 주었다.

"만약 주창 그대가 베껴서 가져온다면, 그대가 부위영화를 누린 것은 말할 것도 없네."

주창은 간지 3일 뒤에 다시 돌아왔는데, 사마는 급히 만나 주변 사람들에게 가져오라 했고, 주창은 가버렸다. 사마가 이를 보고는 크게 놀랐는데, 무후가 직접 써서 가져온 것으로 다음과 같이 쓰여 있었다.

"예로부터 목우유마를 만들 수 있는 재목이 있는 사람은 다섯 명도 되지 않는다. 그대는 위나라의 명장인데, 내게 물어 목우유마경을 배우려 하다니 후대의 사람들이 비웃지 않겠는가!"

---

21) 원문에는 우유마경(牛流馬經)이라 기록되어 있지만, 목우유마경(木牛流馬經)의 목(木)자가 실수로 기록하지 않은 것으로 보인다.

사마는 그 종이를 찢어버렸다.

연희 17년(延熙, 254)에 어린 군주는 제갈량을 불러 말했다.

“서천에 큰 가뭄이 들고 탁금강(濯錦江)의 물이 넘쳐 어찌 할 수 없네.”

제갈은 탁금강이 넘치는 걸 보고 상서롭지 못하다는 걸 알았다. 제갈은 말을 달려 조정으로 들어와 황제를 만났다.

그런데 그 곳에서는 아무 쓸모없는 물건들(無用之物)을 만들어 시장에서 팔고 있었고, 황실 창고(藏庫)의 금과 진주는 관원들이 마음대로 썼다. 그 안의 아무 쓸모없는 물건들은 또한 시장에서 팔리고 있었고, 그걸 팔아 양식과 바꾸었다. 며칠 뒤, 잔뜩 쌓여있는 쌀과 양식은, 그 중 절반은 황제의 도성에 있었고 나머지 절반은 정군산에 두었다. 그리고 그의 마음을 아는 사람과 만나 정군산을 지키게 했다.

(제갈량은) 탁금강의 한 나루터를 보았는데 그 곳의 이름은 금사구(金沙口)로, 양쪽의 끝에서 끝까지 너비가 10여리였고, 동서로는 만 장(丈)의 길이였다.

군사는 금사구를 조사해보라 했는데, 그 깊이는 1장(丈)이었다. 군사가 생각했다.

‘지금 다시 기산으로 출정하면 강오(江吳, 오나라)의 적들이 우환이 될까 걱정이구나.’

이에 50곳에 화로(爐)를 설치해 동(銅)이나 철(鐵)로 기둥 100개를 주조했다.

동과 철 기둥 위에 각각 큰 구멍을 뚫고, 석공들에게 돌기둥 100개를 만들게 하고, 대장장이들에게 1촌(寸) 크기의 구멍이 있는 크고 작은 쇠사슬을 만들게 해 수백여 개를 연결시키도록 했다. 구리, 쇠, 돌로 만든 세 물건을 만드는데, 5만 명의 사람들을 썼고, 이 한 번의 작업을 1년 반 동안 했다. 그리고는 이걸 남북 7리 너비로, 동서로 20리 길이로 철 사슬을 맞은 편 강변을 이었는데, 이를 철쇄거당(鐵鎖渠塘)이라 불렀다. 남북의 양쪽 강변에 군사 2만 명과 명장 4명을 두어 좁은 길목을 지키게 해, 군마들이 그 경계를 들어오지 못하게 했다.

군사는 익주 성도부로 돌아와 어린 주군을 만나자, 어린 주군이 며칠간 열었는데, 군사가 말했다.

“이제 장안의 입군인 관서(關西)를 얻어 대한나라(大漢)를 다시 부흥시키고자 합니다.”

황제가 기뻐했는데, 반쯤 술에 취하자 제갈이 갑자기 땅에 쓰러지고 코와 입에서 피가 났다. 황제가 크게 놀라고 문무백관들이 그를 일으켜 세우자, 제갈이 말했다.

“이 늙은 신하는 누추한 초가집에서 나와 40여 년간 오나라를 정벌하고 위나라를 멸망시키려 해 조그만 심장이 만 조각으로 갈라지는 듯합니다.”

황제가 말했다.

"관서를 얻는 건 그만두고 국경에 있는 군사들과 함께 성도부로 돌아오도록 하시오."

제갈이 다시 아뢰었다.

"그리하면 아니 되옵니다. 그러면 앞으로 사관들(史官)이 비웃을 것입니다. 폐하께오서는 요순(堯舜)과 우왕, 탕왕(禹湯)을 본받아 배우고, 걸왕과 주왕(桀紂) 같은 무리들을 배우지 마시옵소서. 천하를 잃는다면 만 세대에 걸쳐 이름을 욕되일 것입니다. 신은 올해 다시 관서를 차지하러 가서, 얻지 못하면 돌아오지 않겠습니다."

어린 군주가 여러 차례 제갈을 말렸지만 제갈은 듣지 안자, 황제는 그가 가는 길을 배웅했다.

또 한편, 무후는 동쪽의 검관으로 나가게 되었는데, 부인(夫人)이 군사에게 인사하고 돌아가려 하자 제갈이 말했다.

"우리에게 아들 하나가 있지만 아직 나약해, 관직에서 내 맑은 명성을 더럽힐까 걱정되오. 뽕나무 800그루와 밭 50경(頃)이 있으니 생계를 꾸리기에는 충분 할 것이오."

제갈은 부인과 작별하고 동쪽의 기산으로 출정 나갔다.

100여대 정도의 수레와 며칠간 갔는데, 사마의가 이를 알아차리고 갑자기 복병을 준비했지만, 군사는 수레 백대를 네 방향으로 나누어 위나라 군대가 가까이 오지 못하게 했

다.

또 며칠이 지나 강유가 관리들을 이끌고 군사와 만나 가정으로 쳐들어갔다. 한 달 정도 지나 몇 번에 걸쳐 싸움을 청하는 편지를 전달하자 사마(司馬, 사마의)가 출전했다. 제갈이 생각했다.

'사마는 탑 아래에 군대를 주둔시키고 있구나.'

반 달 여가 지나 군사들이 갑옷을 입고서 몸에서 벗지 않자 많은 이들이 피부병(瘡病)이 생겼다. 이에 강유, 양의에게 진영을 습격해 사마의의 5만의 군대를 공격해 모두 흩어지게 했다.

군사가 말했다.

"큰 비가 내릴 것이다."

이에 급히 기름옷(油衣)과 우산(傘)을 준비하게 했는데, 마침 큰 비가 하룻 동안 내리고 그쳤다.

제갈은 군사 3천과 여러 명의 명장들을 이끌고 가정으로 몰래 향했는데, 강유가 말했다.

"무슨 뜻입니까?"

군사가 강유의 귀에 대고 말했다.

"내가 운세(太歲)의 크고 작음과 운행을 보았다."

군사는 수하 3천의 군사를 이끌고 가정에서 100리 떨어진 곳에 큰 진영 하나를 세우고 서쪽을 보니 사람이 한 명 있었는데, 그 여인(娘娘)을 불러 물었다.

"이 곳은 어디에 속한 곳이오?"

여인이 말했다.

"이곳은 기산(祁山) 기주(祁州) 봉상부(鳳翔府)로, 여기는 황파점(黃婆店)입니다."

또 물었다.

"올해 큰 비가 내렸는가?"

여인이 말했다.

"와룡이 승천하는데, 어찌 큰 비가 없겠습니까?"

여인이 다시 말했다.

"관리들은 죄가 없습니다. 군주는 백제에서 사망하고, 신하는 황파(黃婆)에서 죽는다는 걸 어찌 듣지 못하셨습니까?"

군사는 이 말이 잘못이라 생각하고 다시 물었다.

"서쪽의 높은 산 이름은 무엇이오?"

여인이 말했다.

"그 곳은 가을 바람 부는(秋風) 오장원(五丈原)입니다."

말을 마치자 여인은 바람과 함께 가버렸는데, 어디로 간지 알지 못했다.

군사는 군대를 위에 주둔시키고는 생각했다.

'이전에 노파(老婦)가 한 말은 정말 상서롭지 않구나.'

그는 심장이 진작에 심장이 뛰었는데 다시 생각했다.

'사마의는 수비에 능력이 있는 참으로 뛰어난 재목의 장수구나.'

군사는 한 달여 정도 병으로 누워 침과 약을 처방 받았지만, 치료되지 않고 입과 코에서 피가 나오자 강유가 사부(師父)에게 말했다.

"사부님께서는 통증을 치료하는 걸 잘 하시는데, 어찌 자신의 병은 다루지 못하십니까?"

제갈이 말했다.

"나는 29살에 초가집을 나와 군주화 함께 마음을 써서 40여년을 보낸 뒤에, 겨우 서천의 땅을 얻었네. 내 마음은 만 조각으로 찢어지는 것 같네!"

곧장 어떤 소리가 진영 앞에서 들렸는데, 강유가 나가보니 위연이었는데, 그가 말했다.

"군사께서 일이 있으시니 내가 군사의 도장(印信)을 맡겠습니다!"

그렇게 외치며 위연이 들어오자 말했다.

"20년 전에 형주에서 강 아래의 4개의 군을 얻고, 장군은 한나라를 위해 여러 차례 큰 공을 세웠네. 내가 죽으면 위연에게 원수(帥)의 도장을 주겠네."

위연은 웃으며 나갔다.

또 며칠이 지나, 양의, 강유, 조운 같은 여러 태위(太尉)들을 가까이 오게 하고는 군사가 눈물을 흘리며 말했다.

"내가 죽으면 유골은 서천으로 보내 주시게."

그러자 사람들이 모두 눈물 흘렸다.

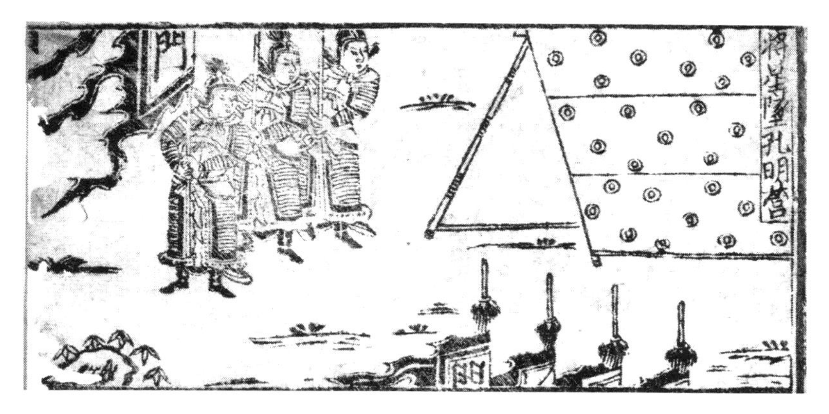

그날 밤, 군사는 한 군사의 부축을 받아 왼손에는 도장(印)을, 오른손에는 검을 쥐고, 머리를 풀고 등불을 들고 물동이에 검은 계란 하나를 물동이 가운데 넣어, 장군별(將星)을 억눌렀다. 무후가 하늘로 돌아가자, 강유은 선군신(先君神, 유비)을 모시고, 위연을 베었다.

그 이후에 이를 증험하는 시가 있다.

"승상의 사당은 어디에 있는가? 금관성(錦官城) 밖의 측백나무가 우거진 곳에 있구나. 계단에 비치는 푸른 풀은 봄빛을 띠고, 풀잎 사이로 꾀꼬리가 공허하게 울고 있구나. 세 번이나 찾아오자 천하의 계책을 이야기하고, 두 조정을 열고 건넌 늙은 신하의 마음이구나. 출사(出師)했지만 이루기도 전에 몸이 먼저 죽어, 영웅들의 눈물이 옷깃을 적시는구나!"

군대 내에서는 이를 듣고 울었는데, 그 슬픈 소리가 땅을 울렸다. 백성들은 사마의에게 달려가 말했다.

"무후의 몸이 죽었습니다."

사마는 이를 듣고, 군대를 이끌고 무후의 시신을 빼앗으러 왔다. 이에 즉시 군사들이 대치했는데, 사마가 말했다.

"내가 두려워한 건 무후인데, 지금 죽었으니, 무후의 시신을 넘겨라. 만약 넘기지 않으면 갑옷을 조각내 돌아가지 못하게 하겠다!"

강유가 크게 화내며 말을 달려 칼을 휘두르며 사마를 잡으러 갔다. 두 사람이 교전했는데, 몇 합 되지 않아 강유가 패해 도망치고 사마가 뒤를 쫓았다. 그 때 징 소리가 한 번 나더니 그 곳에서 표범 같은 군사가 나타났는데, 양의였다. 사마는 당해내지 못하고 도망쳤는데, 네 곳에서 복병이 나타나 사마가 대패하고 군사들은 절반 이상 궤멸당해 진영으로 돌아가 다시는 나오지 않았다.

장안에서는 이를 두고 말했다.

"죽은 제갈이 산 중달을 도망치게 했구나!(死諸葛能走活仲達)"

중달이 이를 듣고 웃으며 말했다.

"나는 그가 살아있을 때는 계책을 헤아렸지만, 어찌 죽고 나서 그의 계책을 헤아리겠는가!"

한편, 장수들은 제갈의 시신이 담긴 관을 호위해 서천으로 보냈다. 한나라의 황제는 슬피 장례를 치르며 슬피 여기면서 통곡을 그치지 않았다. 그리고는 즉시 산의 능(山陵)을 정해 매장하고, 묘지에 세사를 치르고 충무후(忠武侯)로 봉했다. 백성들이 이를 듣고 부모님을 잃은 것처럼 슬퍼했다. 무후가 백성들을 다스릴 때에는 형벌을 줄이고 세금을 거두는 걸 적게 했으며, 병사를 쓸 때에는 상벌이 엄격했고, 지휘와 명령은 분명하게 했다. 이 때문에 군사들과 백성들이 그를 아낀 것이다.

한편, 사마의는 군사들을 이끌고 제갈의 진영을 보고는 한탄했다.

"천하의 빼어난 재능(奇才)이구나!"

이에 애도하며 제사를 지냈다.

그날 밤, 그곳에 바람이 세차게 지나가더니 신선(神人)이 하나 나타나 말했다.

"군사가 내게 편지를 전하라 했네."

사마가 이를 읽어보니 편지의 뜻은 대략 다음과 같았다.

"나는 죽었으나, 한나라의 수명은 여전히 30년이 남았다. 만약 한나라가 망하면 위나라 또한 멸망할 것이고, 오나라는 그 다음이 될 것이다. 너희 가문이 분명 하나로 통일하게 될 텐데, 만약 네가 미혹되거나 망령되게 움직인다면,

너에게 재앙이 미치게 될 것이다."

사마가 이를 다 읽었지만 이를 따르려 하지 않자 신선이 크게 꾸짖었는데, 사마가 그러겠다고 하며 말했다.

"원하시는 대로 군사의 명을 따르겠습니다."

신선은 사마를 땅에 넘어뜨려 소리치려 했지만 그러지 못했는데, 정신차려 보니 이는 꿈이었다. 이 이후로 사마는 변방에 군대를 세우고 한나라와 싸우지 않고 조정으로 돌아갔다.

위왕은 날이 갈수록 어리석어지자 사마가 바로잡을 수 없었는데, 대장군 조상이 권력을 농단하자 사마가 병사들을 일으켜 조상을 죽이고 위왕을 폐위시켜 고귀향공(高貴鄕公)으로 세웠다. 사마는 권세가 강해져 황제가 그를 이겨낼 수 없어, 황제는 관리들과 공모해 사마를 죽이고자 했다. 사마가 이를 알고는 가충(賈充)에게 황제를 시해하게 하고 소제(少帝)를 황제로 세워 천하의 권세는 사마에게 돌아가게 되었다. 소제는 손을 모으고 두려워했으며, 결국 사마를 진나라의 왕(晉王)으로 세웠다. 소제는 사마에게 제위를 선양했고, 소제는 진류왕(陳留王)으로 임명되었다. 한나라 헌제는 이를 듣고는 웃으며 죽었다.

진나라 왕은 등애(鄧艾), 종회(鍾會)에게 서천으로 쳐들어가 한나라를 정벌하라 했는데, 한나라의 원수 강유는 서량국(西涼國)을 정벌하고 있었는데, 이에 등애가 군사들이 허점을 이용해 서천으로 쳐들어갔다. 한나라 황제는 항복하려 했는데, 재상(宰相) 유심(劉諶)이 황제에게 간언했다.

"아버지와 아들, 군주와 신하라면 당연히 성을 등지고 싸워, 사직을 지키다 죽어 선제(先帝, 유비)를 뵈어야 하는데, 어찌 항복하려 하십니까?"

황제가 이를 들어주지 않자, 유심은 한나라 소열제(漢昭烈, 유비)의 묘지에 제사를 지내고, 먼저 처자식들을 죽인 다음에 스스로 자신의 목을 베었다. 한나라 황제는 변방의 장수들에게 모두 항복하라 칙서를 내렸다. 강유는 조서를 보고는 자우들과 함께 분노해 칼로 돌을 치며, 어쩔 수 없이 항복했다. 진나라 왕은 한나라 황제를 부풍군의 왕(扶風郡王)으로 봉했다. 한나라 황제의 외손자 유연(劉淵)은 도망쳐 북쪽으로 갔다.

그리고 대장 왕준(王浚), 왕혼(王渾)에게 오나라를 정벌하게 하자, 오나라는 패하고 오나라 군주 손호(孫皓)는 진나라에 항복했다. 무제는 손호를 불러 연회를 베풀었는데, 간신 가충(賈充)이 손호에게 물었다.

"들어보니 강남에서 군주로 계실 때 사람 눈동자를 뽑고, 얼굴 가죽을 벗겼다는데, 어떻게 형법이 그럴 수 있습니까?"

손호가 말했다.

"그건 군주를 죽이려 한 신하에게 한 것으로 간사하고 아첨하고 불충한 신하에게는 그 같은 형벌을 내렸소."

가충은 이를 듣고 부끄럽고 창피해 말을 그만두었다.

유연은 어릴 때부터 특별히 영특하고, 유학과 도교를 존중하고, 경전과 역사를 널리 익히고, 학문과 무술을 익혔다. 그는 성장해 팔이 길어 활을 잘 쏘았고, 기력이 보통 사람들을 넘어서 호걸들이 많이 따랐다. 그의 아들 유총(劉聰)은 사납고 날랬으며, 경전과 역사를 널리 읽고, 글자를 잘 쓰고, 300근의 활을 당길 수 있어 수도의 유명한 선비들과 교류했고, 영웅 호걸 수십만 명과 함께 좌국성(左國城)을 도읍으로 해, 천하에서 귀의하게 되어 무리를 이루었다. 유연이 사람들에게 말했다.

"한나라는 오랫동안 천하를 다스리며 은혜로 백성들과 맺어졌소. 나는 한나라의 외가쪽 조카(外甥)로, 내 외가쪽 사람들(舅氏)이 진나라에 잡혔는데, 내가 어찌 복수하지 않겠소."

이에 자신의 성씨를 외가쪽 성씨인 유씨(劉)라 하고 나라를 세워 그 이름을 한나라(漢)라 했다. 그리고 한고조(漢祖故)가 했던 것처럼 자신을 한나라의 왕(漢王)이라 칭하고 (연호를) 원희(元熙)라 했으며, 유선(劉禪)을 효회황제(孝懷皇帝)로 추존하고, 한나라의 세 조정과 다섯 종실을 신주(神主)로 세워 제사를 지냈다. 그의 아내 호연씨(呼延氏)를 황후로 세우고, 유선(劉宣)을 승상(相)으로, 최어(崔游)를 어사(御史)로, 유굉(劉宏)을 태위(太尉)로, 위릉(危隆)을 대홍려경(大鴻臚卿)으로, 주원(朱怨)을 태상경(太常卿)으로, 진달(陳達)을 문시(門侍)로, 그(유연)의 조카 유요(劉曜)를 건무장군(建武將軍)으로 임명했다. (원희) 3년(306) 1월(正月)에 도읍을 평양부(平陽府)로 옮기고 황제에 즉위했다.

한편, 진무제가 세상을 떠나고 진혜제(晉惠帝)가 즉위했는데, 그는 사람들과 통교하지 않았다. 그는 정원에서 청개구리가 우는 소리를 듣고는 주변 사람들에게 말했다.

“이런 벌레 우는 소리는 공적인 일이오? 사적인 일이오?”

이처럼 그는 아무것도 모르고 어리석었으며 세상일을 알지 못했다. 궁궐 안에는 황후로 가충의 딸이 있었는데, 그녀는 음란하고 시샘이 많았으며 자식이 없었다. 그녀는 궁궐 문 밖으로 나가 시장에서 어린 남자를 찾아 데려와 여자처럼 아름답게 꾸며, 궁궐 안에서 음란한 짓을 하게 하고, 만족하면 그를 죽였다. 이 때문에 나라 안은 크게 혼란하게 되었다.

혜제가 죽고 회제(懷帝)가 즉위했다.

한편, 한나라 왕은 수십만의 군사들에게 낙양(洛陽)으로 가게 해 진나라를 토벌하게 했다. 진회제는 적들을 맞이했는데 패배해, 한나라 병사들을 그를 잡아 죽여 유선(劉禪)

의 사당에 제사를 지냈다.

그리고 진민제(晉愍帝)가 장안에서 즉위했다. 한나라 왕은 유요(劉曜)를 정벌하도록 보내 진민제를 사로잡고, 결국 진혜제의 양황후(羊皇后)를 아내로 삼고, 진나라 황제를 평양군(平陽郡)으로 보냈다. 한나라 왕은 한고조(漢高祖)의 사당, 한문제(漢文帝)의 사당, 한광무제(漢光武)의 사당, 한소열황제(漢昭烈皇帝, 유비)의 사당, 한회제 유선(漢懷帝劉禪)의 사당에 제사지내고 천하에 크게 사면령을 내렸다.

“한나라 군주는 나약해, 조조와 오나라가 패권을 잡았고, 소열제(昭烈)는 영웅으로 촉의 황제가 되었구나. 사마중달은 삼국을 평정하고, 유연이 한나라를 부흥시켜 한나라의 기틀을 다졌구나.”

삼국지평화

발 행 | 2024년 11월 15일

저 자 | 우씨 지음, 김강모 옮김

펴낸이 | 한건희

펴낸곳 | 주식회사 부크크

출판사등록 | 2014.07.15.(제2014-16호)

주 소 | 서울 금천구 가산디지털1로 119, SK트윈타워 A동 305호

전 화 | 1670 - 8316

이메일 | info@bookk.co.kr

ISBN | 979-11-419-6310-1

www.bookk.co.kr